왕초보를 위한

사주 명리학 첫걸음

이부상 편저

QR코드
동영상 강의 제공

왕초보를 위한 사주명리학 첫걸음

발 행 | 2024년 4월 22일

저 자 | 이부상

펴낸이 | 한건희

펴낸곳 | 주식회사 부크크

출판사등록 | 2014.07.15.(제2014-16호)

주 소 | 서울특별시 금천구 가산디지털1로119 SK트윈타워 A동305호

전 화 | 1670-8316

이메일 | info@bookk.co.kr

ISBN | 979-11-410-8218-5

왕초보를 위한

사주 명리학
첫걸음

이부상 編著

黎明未來易學院

강의를 시작하기 전에

사주명리학(四柱命理學)은 음양오행(陰陽五行)을 좀 더 세분하여 천간(天干) 10 자(字)와 지지(地支) 12자(字)를 조합한 60 甲子를 통하여 각자의 타고난 생년월일시(生年月日時)에 대입 하여 한 개인의 선천적 운명을 종합적으로 분석하는 운명학(運命學)이다. 따라서 사주명리학은 22간지(干支)를 통하여 다양한 기본이론을 대입하여 다양하게 추론하는 운명을 예측한다.

예전에는 사주 공부를 하기 위해서는 학원을 찾아 수강하거나 철학관을 직접 찾아가 개인 사사를 하는 경우가 많았지만 지금 인터넷 시대에 살고 있는 우리는 배울 수 있는 공간이나 정보가 넘쳐나고 있다. 사주 공부 또한 인터넷 검색 속도처럼 빠른 속성공부를 원하고 있어 이 조급함이 사주 공부하는 데 더 어려움을 주고 있다.

사주책 1권도 제대로 소화하지 못하고 그저 인터넷에 올려진 수많은 사주 자료를 보고 검색을 하면서 눈으로 공부하고 이해하려고만 한다. 그리고 빠른 시간 안에 사주풀이를 하여 자신이나 가족 사주를 풀어보고자 하는 욕심이 앞서다 보니 스스로 지쳐버려 결국은 포기를 한 경우가 대부분이다. 스스로는 사주 공부가 어떤것인가 궁금하여 취미로 공부한다고 하지만 궁극적인 목적은 단순히 사주 이론이 아닌 실제 사주 해석을 해보고 싶은 마음이 간절한 것이다. 따라서 취미반 실전반 따로 구분할 필요가 없다. 대부분 중도 포기한 학인은 취미반에 그치는 것이고 나머지 소수 학인은 나중에 창업(겸업)할 수 있는 실전반이 되는 것이다.

사주 공부하는 목적은 각자의 상황에 따라 다를 수 있겠지만 대부분은 사주풀이를 얼마만큼 통변할 수 있느냐에 있다. 을 알 수 있다. 사주 공부는 집을 짓는 건축이나 다름이 없다. 그만큼 기초공사가 중요하다. 사주 입문 시 사주명리학을 바라보는 자세와 공부법은 이 외로 단순하고 간단하지만, 이것을 건너뛰어 속성으로 공부 하다보면 사주 명조를 보고 다양하게 추론하는 사고력과 응용력이 떨어져 사고의 부재함으로 자기 양심의 한계에 도달하여 중간에 포기하거나 사이비가 되는 경우가 대부분이다.

현재 사주 공부하고 있는 왕초보 학인들은 직접 만세력을 보고 사주팔자를 뽑고 지장간(支藏干). 십신(十神), 십이운성(十二運星), 신살(神殺), 공망(空亡) 등이 바로 파악되고 오행생극(五行生剋) 강약이나 십신 구조의 사주팔자 8글자가 한눈에 파악되어야 한다. 그런데 이런 기본적으로 반복훈련을 하지 않고 바로 앱 만세력을 통해 운세 파악이나 사주 해석에만 몰두하게 된다. 왕초보 사주공부는 처음에는 손으로 써가면서 귀와 입으로 단순 무식하게 공부해야 한다. 그리고 六十甲子 오행이 한눈에 들어오는 감각이 생기면 그때는 사주 공부 속도가 빨라진다. 이러한 기초 공부는 본인 스스로 터득해야 한다.

과거 철학관에서 개인지도를 받을 때는 육십갑자를 외우지 못하면 진도를 나가지 않았다고 한다. 공부는 이렇게 한 단계 한 단계 통과하면서 해야 하는데 인터넷 시대에 살고 있는 사람들은 더 조급함으로 변하여 이런 답답하고 단순한 공부는 피곤해한다. 하지만 지금부터라도 왕초보 학인들은 노트에 육십갑자를 써가면서 소리내 암기 하시길 바란다. 오행 기운이 자기 몸과 정신에 체득되어야 비로소 사주 공부가 시작되는 것이다.

요즘 유튜브를 보면 사주명리학 열풍으로 왕초보 사주 강의 위주로 젊고 훌륭한 강사분이 영상 강의를 너무 스마트하게 편집하여 쉽게 사주 공부를 할 수 있도록 무료로 제공하니 음지의 학문인 사주 공부가 양지의 학문으로 전환되고 있다는 것을 피부로 느끼고 있다. 왕초보 사주 공부를 편안하게 쉽게 공부하면서 단순히 본인이나 가족 사주 명식을 보고 오행(五行)이나 십신(十神)의 유무나 특성에 따라 쉽게 감정 판단할 수 있다. 그러나 이러한 단순한 선입견이 독이 될 수 있다. .

왕초보 사주 공부의 핵심은 사주팔자 간명지 작성을 숙달하기 위해서 배우는 기초작업이다. 이 기초이론도 나중에는 변화가 많기 때문에 기초이론은 암기에 촛점을 두어야 한다. 왕초보가 앱 만세력으로 쉽게 보는 사주 명식에 의존하게 되면 또한 큰 독이 된다는 것을 알아야 한다.

여명미래역학원에서 사주 입문자용 왕초보 사주명리학 20강 강의 교재를 만들었는데 왕초보 사주 공부의 핵심은 사주 명식을 작성하여 반복 연습해야 한다. 이 연습을 하지 않으시면 四柱八字 중에 月支, 日柱 3글자만 보이게 되고 나머지 5글자를 보는 감각이 떨어질 수 있다. 이것은 눈으로만 사주 공부하게 되고, 六十甲子를 전체적으로 보는 감각이 떨어지기 때문이다.

다시 언급하지만, 왕초보 학인들은 처음 사주 입문시 빠른 시간안에 사주 완성을 위해서 한꺼번에 빨리 배우려는 조급함이 강하다. 제일 먼저 음양오행(陰陽五行)을 배우고 천간지지(天干地支). 상생상극(相生相剋). 십신(十神) 등을 습득하는데 이 부분이 제일 중요하다.
초보자들은 사주명식 작성 공부를 일일이 수작업으로 수백 개 명조를 작성하는 연습을 해야 하고, 사주 명조를 보고 일간(日干)을 제외한 7개의 오행이 한눈에 상생상극과 십신이 보여야 한다. 이 연습이 매우 중요하다. 예를 들어

丙 壬 戊 己
午 辰 辰 亥

이 명식을 보고 壬水 일간 입장에서 보면 生을 해주는 인성 金이 없고 일간이 헨을 하는 정.편재 火와 극을 받는 정.편관 土 4개가 있고 같은 동기인 비견 水 1개가 1초 사이에, 한눈에 보여야 합니다. 그리고 육십갑자가 4개로 이루어진 己亥. 戊辰. 壬辰. 丙午를 보고 相生相剋의 구조도 보고 甲木~癸水까지 地支를 보고 힘의 강약을 파악할 수 있어야 한다.

타고난 사주팔자(四柱八字)를 본다는 것은 정해진 운명(運命)에 순응(順應)하여 본분(本分)을 지키는 것이 아니고 각자 타고난 선천적(先天的)인 명(命)과 후천적(後天的)인 운(運)을 활용하여 각자 본인의 삶을 윤택하게 영위(營爲)할 수 있도록 방향(方向)을 설정하고 인생(人生)을 바라보는 폭넓은 시각(視覺)을 갖추는 것이 목적이다.

이 강의에서 다루는 왕초보를 위한 "사주명리학(四柱命理學) 첫걸음"은 사주 공부에 입문(入門)하는 데 가장 기본적이고 핵심적인 내용으로 왕초보 학인 대상을 위주로 공부하는 내용이다. 따라서 왕초보 사주명리학의 궁극적인 목표는 가장 중요한 기초이론을 대입하여 사주 구조 파악을 완벽하게 체득(體得)하는 데 있다. 따라서 이 단계는 사주 공부를 하는 데 기초적 이론을 반복 숙달하여 암기하는 데 집중해야 할 단계이다.

아무리 다양한 사주 이론 공부를 많이 하여도 기본 육십갑자오행(六十甲子五行)이 한눈에 파악되어 들어오지 않으면 실제 사주 명식을 보고 사주 이론을 응용하기가 어렵다. 다시 거듭 강조하자면 사주 공부는 눈으로 이해하는 공부가 아니다.

사주학(四柱學)은 또 다른 명칭으로 자연수학(自然數學)에 해당한다. 난이도에 따라 각종 공식이나 이론을 통하여 문제를 풀어가는 수학(數學)이라는 것을 명심해야 한다. 수학문제를 많이 풀어보는 연습을 해야 정확한 정답(正答)을 도출(導出)할 수 있듯이 사주 해석도 마찬가지이다. 그만큼 왕초보 사주 공부가 제일 중요하다는 것이다. 이 글을 읽고 공감을 얻으신 왕초보 사주학인이 계신다면 사주 명리학을 인식(認識)하는 시각(視覺)에 분명 큰 도움이 되실 것이다.

여명 이부상

목 차

QR 바코드
무료 동영상 강의

[이 책으로 공부하는 법]

왕초보를 위한 사주명리학 첫걸음 총 20강으로 책을 읽고 난 후 복습으로 1강에서 20강까지 책 속에 큐알코드를 스캔하시면 무료 동영상 강의를 시청할 수 있습니다. 화면 설정에서 1.5배 이상 속도로 시청하시면 더 집중할 수 있으니 효과적입니다. 왕초보 사주 공부의 최종 목적은 사주팔자를 자유자재로 뽑아 오행과 십신의 간지 배합이 한눈에 보이도록 반복 연습하는 것입니다. 왕초보 입문단계에서 조급한 마음으로 초·중급단계로 넘어가서는 안 됩니다.

1강

사주팔자

무엇인가

1강. 사주팔자(四柱八字)란 무엇인가?

사주(四柱)라는 한자(漢字)를 풀어보면 네 개의 기둥을 말한다. 사람이 태어나면 각자에게 결정되는 생년(生年). 월(月). 일(日). 시(時). 네 개의 기둥(柱)을 사주(四柱)라고 하며, 이 네 개의 기둥은 년주(年柱). 월주(月柱). 일주(日柱). 시주(時柱)로 나타내며, 각각 천간(天干)과 지지(地支)가 각 두 글자씩 모두 여덟 자로 나타나므로 팔자(八字)라고 한다.

이 네 개의 기둥 여덟 자리에 10천간(天干). 12지지(地支)를 배열해 놓고, 운명(運命)의 길흉(吉凶)을 알아보는 학문을 사주학(四柱學)이라고도 하고. 또한 사주(四柱)를 통해서 명(命)의 이치(理致)를 파악한다고 해서 명리학(命理學) 또는 명(命)을 추리(推理)한다고 해서 추명학(推命學)이라는 명칭을 쓰고 있다.

다시 정리하면, 사주(四柱)는 넉 사자에 기둥 주 즉 네 가지 기둥으로 이루어지고, 팔자(八字)는 말 그대로 八字 여덟 가지 글자라는 뜻이다. 여덟 글자로 이루어진 네 가지 기둥이란 뜻이다. 사주팔자를 본다는 것은 상담의뢰인의 년월일시(年月日時) 이 네 가지를 가지고 풀게 되는데 그 네 가지를 六十甲子 변환하여 사주학적

도표를 만들게 되는데 이 도표를 명식(命式)이라고 부른다.

[예시]

時 日 月 年	
甲 甲 甲 甲---->	天干 (윗줄이 天干이 들어가는 부분)
子 子 子 子---->	地支 (아랫줄이 地支가 들어가는 부분)

위와 같이 표기하니 네 가지의 기둥이 나오게 되는 것이다. 또한 사주(四柱)는 8가지 글자의 조합이므로 한 개의 주(柱)마다 글자가 두 개씩 배당이 되어 4柱 X 2字 = 8字. 이렇게 되니 명식(命式)에서 부르는 명칭은 사주팔자(四柱八字)라고 한다.

우리가 주역(周易)이라는 말을 들어 본 적이 있을 것이다. 주역(周易)은 중국 주(周)나라 때 완성한 역인데 역(易)이란 한자를 풀어 보면 태양(日)과 달(月)의 변화 즉, 음(陰)과 양(陽)의 변화에 의해 우주 삼라만상의 생성. 쇠퇴. 소멸의 반복 작용을 함으로써 발전이 이루어진다는 의미를 지니고 있다.

이러한 자연적 변화 속에 인간 개인에게 어떤 영향을 주어 길흉화복(吉凶禍福)이 나타나는지를 파악하는 것이 역학을 연구하는 근본 목적인데 인간의 운명을 다루는 여러 가지 학문과 점술이 있지만 여기서 우리가 다루어야 할 내용은 사주명리학(四柱命理學)이다.

참고로 운명(運命)이라는 개념을 살펴보면, 운(運)은 후천적인 의미로 일생 동안 부딪치면서 살아가는 시간적이고 동적인 개념이고, 명(命)은 선천적인 의미로 타고난 사주팔자를 나타내는 공간적이고 고정적인 개념을 의미한다. 그리고 사주팔자가 만들어진 총개수는 년주(60갑자) × 월주(12개월) × 일주(60갑자) × 시주(12시진) = 518,400개이다. 여기에 남,녀 구분하면 대운이 달라지니 1,036,800개이다.

따라서 사주팔자가 한날한시에 태어난 동일한 운명은 우리나라인 경우 총인구수에 따져보면 100명 가까이 되지만 지금은 저출산 시대인지라 40명 아래로 떨어졌다. 그러면 동일한 팔자로 태어나도 서로 다른 삶을 살아가는 이유는 무엇일까? 그것은 각자가 타고난 주변 환경이나 집안 내력(근본·성씨). 부모. 相(관상·수상·풍수). 이름 등이 다르기 때문이다.

QR코드 동영상 강의

왕초보사주학 1강

2강

음양

2강. 음양(陰陽)이란 무엇인가?

세상 만물은 서로 상대적인 두 기운(氣運)이 항상 짝을 이루고 있다는 것이 동양에서는 이를 음(陰)과 양(陽)이라 부르고 있다. 이 음(陰)과 양(陽)은 상반된 성질의 기운을 가지고 있지만 어느 한쪽만으로는 존재할 수 없는 항상 공존과 균형을 이루고 있다.

따라서 이것은 항상 고정되어 있지 않고 경우에 따라서는 음 속에 양이 있고 양 속에 음이 있다. 음양(陰陽)은 만물이 존재하는 것에는 항상 음양이 있고 음양의 기운은 서로 반대의 기운이 서로 결합하고 있는 것인데 음양은 서로 충돌하기도 하고 서로 보완해 주기도 한다. 따라서 음양이란 따로 떼어 놓을 수 있는 성질이 아니고 음이 있는 곳에는 언제나 양이 함께 있고 또 양이 있는 곳에는 반드시 음이 있다는 것이다.

예를 들면 밝은 것을 양(陽)이라 하고 어두운 곳을 음(陰)이라고 하는데 가령 벽면의 한쪽에 햇빛이 비치어 밝게 된다면 우리는 이것을 양이라고 하고, 빛이 없는 반대편은 어두운 그림자가 생기게 되는데 이것을 음이라고 한다. 그러나 밝은 陽이 없으면 陰이 있을 수 없고 또 어두운 부분의 陰이 없다면 밝은 곳의 陽도 없다.

陽이 있음으로써 동시에 陰이 생겨나는 것이고, 또한 음이 있어야 양도 존재할 수가 있는 것이다. 천지 만물 음양의 구분은 모두 이와 같아서 높은 곳이 있어야 낮은 곳이 있게 되고 작은 것이 있어야 큰 것이 비교되며 따뜻한 곳이 있어야 추운 곳을 느끼게 된다는 것이다.

자동차가 주차장에 정차되어 고요히 머물러 있으면 陰의 작용이다. 그러나 도로 위를 빠르게 달려가면 陽의 작용이 된다. 천지에 햇빛이 비치면 양의 기운이 되었다가 저녁에 해가 지면 천지는 다시 음의 암흑으로 변한다. 이처럼 음과 양은 두 개로 분리되어 별개로 존재하는 것이 아니라 둘은 서로 상대성을 가지고 존재하는 것이며 또한 언제나 같은 곳에 함께 머물게 되는 것이다.

음양(陰陽)의 특성으로는 양(陽)은 기운을 외부로 발산하려는 성질을 가졌고 음(陰)은 양의 과도한 발산을 억제하고 유지 수용하면서 지키려는 성질을 가진다. 따라서 양(陽)은 밖으로 드러내는 기운이 강하여 하늘(天干)의 특성과 비슷하고 음(陰)은 안으로 끌어

당기는 기운이 강하여 땅(地支)의 특성과 비슷하다.

양(陽)은 하늘의 특성이라서 기(氣)의 형태에 가까워 정신적이고
이상적인 면이 강하고 음(陰)은 땅의 특성이라서 형(形)의 형태에
가까워 물질적이고 현실적인 면이 강하다. 또한 양(陽)의 기운은
동(動)이라 성장동력이 강하여 적극적이며 감정적, 즉흥적 성향이
강하고, 음(陰)의 기운은 정(靜)이라 움직이지 않고 내실을 다지며
소극적 성향이 강하다.

[음양 조견표]

陰	陽	陰	陽
地(땅)	天(하늘)	月(달)	日(태양)
吸(들숨)	呼(날숨)	婦(아내)	夫(남편)
凶(나쁨)	吉(좋음)	女(여자)	男(남자)
二(짝수)	一(홀수)	下(아래)	上(위)
後(뒤)	前(앞)	右(오른쪽)	左(왼쪽)
老(늙음)	少(젊음)	暗(어둡다)	明(밝다)
惡(악행)	善(선행)	武(칼)	文(필)
客(손님)	主(주인)	弱(약함)	强(강함)
弟(아우)	兄(형)	水(물)	火(불)
秋(가을)	春(봄)	冬(겨울)	夏(여름)
西(서쪽)	東(동쪽)	北(북쪽)	南(남쪽)

小(작다)	大(크다)	身(몸)	心(마음)
少(적다)	多(많다)	醜(추함)	美(아름다움)
貧(가난)	富(부자)	重(무거움)	輕(가벼움)
賤(천함)	貴(귀함)	短(짧음)	長(길다)
死(죽음)	生(삶)	夜(밤)	晝(낮)
終(끝)	始(시작)	靜(고요함)	動(움직임)

음양(陰陽)을 인간의 심리적 특성으로 구분해 본다면 음(陰)의 기운이 강한 사람은 다음과 같은 성향이 나온다.

1. 정신적 행동: 안정적 삶을 지향하며 안분지족 독야청청한다.
2. 자기 중심형: 자기만족형으로 자기 틀에서 벗어나기싫어한다.
3. 내향적 성격: 명예보다 자기만족을 중시한다.
4. 소심한 성격: 마음의 앙금이 오래간다.
5. 과거 집착형: 아픈 상처나 아픈 기억이 오래간다.
6. 모성애적 행동: 속이 깊고 인내심이 강하다.
7. 부정적 사고방식: 다소 비관적. 외롭고 우울해진다. 스트레스 저장형으로 바로 안 풀린다.

양(陽)의 기운이 강한 사람은 다음과 같은 성향이 나온다.

1. 육체적 행동: 활동적이고 역동적인 삶을 지향한다.

2. 대인 지향형: 사람 사귀기 좋아하고 잘 어울린다. 모임. 단체. 회사 등 현실적. 실리적이다.

3. 외향적 성격: 다른 사람을 의식. 지위. 명예를 추구한다.

4. 대범한 성격: 호불호가 분명하며 속마음을 드러내니 뒤끝이 없다.

5. 미래 지향형: 목표나 목적의식이 뚜렷하다.

6. 가부장적 행동: 지위. 명예. 명분을 중시하고 인정받길 원한다.

7. 긍정적 사고방식: 스트레스가 쌓이면 바로 푼다. 음주·가무 유흥으로 풀 수 있다.

QR코드 동영상 강의

왕초보사주학 2강

3강

오행이란

3강. 오행(五行)이란 무엇인가?

동양에서는 우주 만물이 존재하도록 하는 시작이 음양(陰陽)이라면 이 음양(陰陽)에 의해서 생성된 천지 만물의 구성과 변화를 주도하는 기본 성분의 다섯 가지 기운으로 분류한 것을 오행(五行)이라고 하는데 木. 火. 土. 金. 水를 말한다.

음양을 기반으로 생성된 모든 오행에는 음과 양이 존재하고 형(形)으로서 세상 만물의 형체를 만들고. 기(氣)로서 항상 우주에서 흐름을 만들고 변화를 주도하고 있다고 가정한다. 여기에 사람도 만물 중의 하나라 오행의 영향을 받을 수밖에 없다. 그래서 인간으로 태어나 첫 호흡을 하는 그 순간, 그때 우주에 흐르고 있는 음양 오행의 기운이 호흡을 통해 몸속에 들어오게 되며 그 기운의 영향을 받게 된다.

五行을 질(形)로만 보면 木은 나무, 火는 불, 土는 흙, 金은 쇠, 水는 물을 말한다. 그러나 五行은 단순히 형상(形象)으로만 대표하는 것이 아니고 포괄적인 의미가 있는 하나의 기호체계로서의 관점으로 관찰해야 한다.

예를 들어 木은 나무로서 생명체이기 때문에 활동성을 의미하는 木形과 항상 위로 향하고 성장하고 뻗어 가려는 속성을 통틀어서 木氣이라는 것을 함께 이해해야 한다. 火는 불로서 뜨겁고 사물을 태우고 폭발하는 火形과 직선적이며 열정적이며 팽창하는 火氣의 모습을 함께 이해해야 하며, 土는 흙으로서 만물을 생장하게 받쳐 주고 희생하고 양보하는 土形과 모나지 않은 둥글둥글한 모습과 중립을 견지하며 포용하는 土氣의 모습을 함께 이해한다.

金은 바위와 쇠의 단단하고 강한 모습의 金形과 차갑고 냉정한 金氣를 함께 이해해야 하며, 水는 물로서 유연하고 갈증을 해소하고 성장을 시켜주는 水形과 이성적이며 기운을 압축시켜 새로운 생명체를 탄생시키는 水氣의 특성을 함께 이해해야 한다.

그러면 오행이 어떻게 해서 생겨났으며 또한 자연의 어떤 운동성을 나타내고 있는지 살펴보도록 하겠다.

음양	陽			陰	
오행	木	火	土	金	水
계절	봄	여름	환절기	가을	겨울

위의 그림을 보면 맨 윗줄에 크게 양과 음으로 분류하여 표시되어 있고 그 아랫줄에 오행이 표시되어 있다. 이것을 잘 살펴보면 오행

중에서 목(木)과 화(火)는 양(陽)의 분류에 있고 금(金)과 수(水)는 음(陰)의 분류에 속해 있으며 양도 음도 아닌 중간의 영역에 토(土)가 놓여 있다는 것을 알 수 있을 것이다.

이것은 오행의 운동속성이 음양 운동의 확대인 것을 뜻하고 있는데 다시 말해서 자연 운동의 두 가지 법칙인 陰 운동과 陽 운동을 좀 더 세분화시켜 다섯 가지 형태로 구별 지어 놓은 것이 바로 五行이다. 그러므로 음양과 오행은 따로 떨어진 별개인 것이 아니라 운동의 특성을 세분화시켜서 달리 표현한 것으로 모두 같은 것이라고 보면 된다.

陽의 운동을 두 가지로 나누어 목(木), 화(火)로 표시하였고, 陰의 운동을 두 가지로 나누어 금(金), 수(水)로 표시한 것이다. 가운데 있는 토(土)는 陽 운동과 陰 운동의 중간 작용, 즉 운동의 방향이 양에서 음으로 바뀌면서 일어나는 잠깐 멈추는 정지된 상태의 변화 현상을 나타낸다.

또한 오행은 봄, 여름, 가을, 겨울의 춘하추동 일 년 사계절이 운행하는 법칙을 문자로 표현해 놓은 것과도 같다. 처음의 목(木)은 봄을 상징하는데 봄이 되면 만물은 땅을 뚫고 올라와 하늘을 향해 싹을 틔우며 올라가려는 성질을 표현한 것이며,

화(火)는 여름을 상징하는데 여름이 되어 뜨거운 기운과 함께 만물은 무성하여 한없이 펼쳐지려는 성질을 나타낸 것이며, 금(金)은 가을을 상징하는데 가을이 되어 만물은 다시 떨어지고 움츠러드는 성질을 나타내고 있으며, 수(水)는 겨울을 상징하며 겨울이 되어 땅속으로 들어가서 거두어 보관하는 성질을 나타낸 것이다.

그리고 토(土)는 각 계절의 끝자락마다 붙어 있어서 하나의 계절이 닫히고 새로운 계절이 열릴 수 있도록 중재하는 환절기에 해당하는 것이다. 이처럼 오행은 자연의 순환법칙 중에서 특히 사계절의 운행 방향과 특성을 잘 나타내어 놓은 것으로 오행과 함께 계절을 같이 익혀 두어야 한다.

五行을 인간으로 분류하여 특성을 분석해 보면 木은 오행 중 유일한 생명체로서 새로운 시작과 출발의 의미가 있으며 끊임없이 성장하는 역동적인 모습을 담고 있다. 木은 생명체이므로 가장 환경의 영향력에 민감하게 반응한다. 木의 기운을 받고 태어난 사람은 진취적이고 미래지향적이며 항상 새로운 일에 호기심이 많고 도전적이라서 출발은 잘하나 뒷마무리가 약한 특성이 있다.

木은 유년기에 해당하므로 순박하고 어진 성품을 가지고 있지만 싫증을 잘 내는 면도 가지고 있다. 주변 환경에 따른 심리적 변화의 폭이 크다. 木은 동쪽(동쪽은 양의 출발 방향)을 의미하기도 하고, 계절적으로는 봄, 색상으로는 청색에 해당한다. 한자로서 의미는 인(仁), 그래서 동대문(東大門)을 흥인문(興仁門)이라고 한다.

火는 그 기운이 빛과 열기의 의미가 있어 대단히 정열적이고 정을 느끼게 하는 오행으로서, 기운의 발산을 주도하는 특성이므로 강한 양의 성향으로 분류된다. 火의 기운을 받고 태어난 사람은 자신의 기운을 외부로 발산하는 기운이 강하여 그 성정이 급하고 열정적이며 빛의 특성으로 인해서 직선적이며 사리 분별력이 분명하고 뒤끝이 깔끔한 성격을 나타낸다.

火의 기운은 주변의 여건이나 환경을 변화시키는 힘을 가지고 있다. 또한 인생의 청년기에 해당하여 강한 열정과 정의감을 가지고 있지만 인내심이 부족하여 끈기가 없어 보이기도 한다. 火는 남쪽을 의미하기도 하며 계절적으로는 여름, 색상으로는 붉은색을 나타낸다. 한자로서 의미는 예(禮), 그래서 남대문(南大門)을 숭례문(崇禮門)이라고 한다.

土는 그 특성이 변화에 민감하게 반응하지 않는 것이 우선으로 보이며 믿음과 희생 그리고 신뢰를 의미한다. 수천 년 동안 쉽게 변하지 않고 항상 그 모습 그대로가 土의 형상이요 기운이다. 土의 기운을 받고 태어난 사람은 포용력이 있고 중용의 미덕을 품고 있는데 때로는 개성이 없어 보이기도 하고 그 속을 알 수 없는 모습이기도 하다.

土의 방향은 중앙을 의미하기도 하고 계절적으로는 환절기, 색상으로서는 황색, 인생으로서도 변화의 사이(사춘기,갱년기등)에 있다고 보인다. 한자로서 의미로는 신(信), 그래서 서울의 중심에 보신각(普信閣)이 있다.

金의 기운은 결집력과 강건함을 의미한다. 가을에 곡식과 과일이 단단하게 열매를 맺게 되는 것이 金의 기운을 받고 있기 때문이다. 金의 기운을 받는 사람이라면 결단력, 의리, 강한 집중력, 냉정하고 이성적인 특성을 보이게 된다. 흔히 성격이 우유부단한 사람을 보면 金氣가 부족하다고 한다. 그러나 金氣가 강하면 유연성이 부족하기도 하다.

金은 인생의 중장년기에 해당하므로 중후하고 무게감은 있으나 고집스러움을 하고 있다. 또한 가슴속에 한 번 기억한 것을 쉽게 지워지지 않는 것도 金의 영향력이 있기 때문이다. 金은 서쪽을 의미하고 계절적으로는 가을, 색상으로는 흰색을 의미한다. 한자로서 의미는 의(義), 그래서 서대문(西大門)을 돈의문(敦義門)이라고 한다.

水의 기운은 응고 응축의 의미를 지닌다. 모든 생명체는 물에서 생성되고 그 생명의 씨앗을 물속에 저장하고 있다. 水는 강한 음의 기운으로서 압축성이 뛰어난데 이 압축성은 양의 기운(木)을 탄생하게 하는 원동력이 된다. 水의 기운을 받은 사람은 지혜롭고 생각이 깊으며 사고의 유연성을 가지는 특성을 가지게 된다. 또한 포용력과 자신의 감정을 절제하는 균형 감각과 이성적인 면이 강하다. 반면에 차갑고 냉정한 심리구조를 가지기도 한다. 인생의 노년기에 해당하므로 지혜롭고 이성적인 모습을 보이지만 옹고집을 의미하는 일방통행적인 사고와 행동을 보이기도 한다. 水는 북쪽의 의미하고 계절적으로는 겨울, 색상으로는 검은색을 의미한다. 한자로서 의미는 지(智), 그래서 북대문(北大門)을 홍지문(弘智門)이라고 한다.

QR코드 동영상 강의

왕초보사주학 3강

4강

육십 갑자

4강. 육십갑자(六十甲子)란 무엇인가?

천간(天干)과 지지(地支) 즉 十干(천간 10개) 十二支(지지 12개)를 천간은 위에 놓고, 지지는 아래에 놓아 천간 순서와 지지 순서로 짝을 지어나가면 60개의 간지로 배합(配合)되므로 이것을 육십갑자(六十甲子)라 한다.

천간(10개) : 甲. 乙, 丙. 丁. 戊. 己. 庚. 辛. 壬. 癸

지지(12개) : 子. 丑. 寅. 卯. 辰. 巳. 午. 未. 申. 酉. 戌. 亥

子	甲子	丙子	戊子	庚子	壬子
丑	乙丑	丁丑	己丑	辛丑	癸丑
寅	丙寅	戊寅	庚寅	壬寅	甲寅
卯	丁卯	己卯	辛卯	癸卯	乙卯
辰	戊辰	庚辰	壬辰	甲辰	丙辰
巳	己巳	辛巳	癸巳	乙巳	丁巳
午	庚午	壬午	甲午	丙午	戊午
未	辛未	癸未	乙未	丁未	己未
申	壬申	甲申	丙申	戊申	庚申
酉	癸酉	乙酉	丁酉	己酉	辛酉
戌	甲戌	丙戌	戊戌	庚戌	壬戌
亥	乙亥	丁亥	己亥	辛亥	癸亥

총 22개를 가지고 甲子.乙丑..........癸酉 다음 지지 2개가 남으니, 다시 甲戌.乙亥..... 이렇게 조합해서 나가면 총 60개가 나오고 반드시 양 양 음 음끼리 조합하고 61이 되면 다시 甲子로 되어 다

시 돌아오니, 이 해를 회갑(回甲)이라 한다. 천간(天干) 첫 번째 글자인 갑자(甲字)와 지지(地支) 첫 번째 글자인 자자(子字)에 배정하여 갑자(甲子)에서부터 시작하여 계해(癸亥)에서 끝나게 되는 60개의 간지(干支)를 말한다.

甲子旬

甲 乙 丙 丁 戊 己 庚 辛 壬 癸
子 丑 寅 卯 辰 巳 午 未 申 酉

甲戌旬

甲 乙 丙 丁 戊 己 庚 辛 壬 癸
戌 亥 子 丑 寅 卯 辰 巳 午 未

甲申旬

甲 乙 丙 丁 戊 己 庚 辛 壬 癸
申 酉 戌 亥 子 丑 寅 卯 辰 巳

甲午旬

甲 乙 丙 丁 戊 己 庚 辛 壬 癸
午 未 申 酉 戌 亥 子 丑 寅 卯

甲辰旬

甲 乙 丙 丁 戊 己 庚 辛 壬 癸
辰 巳 午 未 申 酉 戌 亥 子 丑

甲寅旬

甲 乙 丙 丁 戊 己 庚 辛 壬 癸
寅 卯 辰 巳 午 未 申 酉 戌 亥

이렇게 순환해서 천간은 여섯 바퀴 돌고 지지는 다섯 바퀴를 도는 과정에서 갑자(甲子)에서 계해(癸亥)로 마무리가 되고 다시 갑자(甲子)가 시작되는 것이다. 즉 육십 번 돌고 돌아 다시 원래의 첫 출발점인 갑자(甲子)로 되돌아오는 것이다. 갑자, 을축, 병인....으로 흐르는 것을 순행(巡行)이라 하고, 계해, 임술, 신유... 으로 흐르는 것을 역행(逆行)이라 한다.

QR코드 동영상 강의

왕초보사주학 4강

5강

천간 지지

5강. 천간(天干)과 지지(地支)는 무엇인가?

천(天)은 하늘이요, 하늘은 위에 있는 것이므로 간지(干支) 가운데 위에 위치한 것을 천간(天干)이라 한다. 천(天)은 하늘의 변화하는 이치와 기(氣)를 나타내며, 간(干)은 나무줄기 간(幹)에서 따온 것이다. 천간의 기를 표현하는 글자로 甲. 乙. 丙. 丁. 戊. 己. 庚. 辛. 壬. 癸의 10字가 있는데 이를 10天干 또는 10干.干이라 부른다.

[천간]

간(干)의 아래 위치한 것을 지(支)라 하는데 지(地)는 땅이요 땅은 하늘 아래에 있으므로 천간 아래 위치한다. 따라서 地를 붙여 지지(地支)라고 한다. 지(支)는 나뭇가지 지(枝)에서 따온 것이다. 子. 丑. 寅. 卯. 辰. 巳. 午. 未. 申. 酉. 戌. 亥. 子. 丑의 12字가 있으며, 이를 12地支 또는 12支. 支라 부른다.

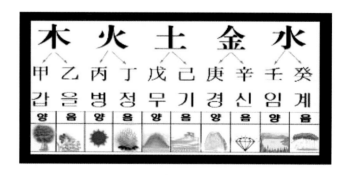

[지지]

간지(干支) 즉 천간(天干)과 지지(地支)는 각각 음양(陰陽) 두 가지로 분류된다. 이제부터 10天干이나 12地支를 쓰고 익힐때는 甲木.乙木.丙火.丁火... 子水.丑土.寅木.卯木.辰土...으로 익혀두어야 한다. 음양에서 시작하여 오행으로, 오행에서 다시 천간과 지지로 갈라져 나왔으니 사주학(四柱學)은 결론적으로 음양학(陰陽學)이고 오행학(五行學)이며 22간지학(干支學)이 되는 것이다.

천간과 지지의 22글자가 지닌 음양의 구분과 오행적 특성, 그리고 동서남북 네 방위와 춘하추동 사계절이 22간지와 어떻게 연관 지어져 있는가를 잘 알아 두어야 한다. 사주의 모든 원리가 바로 여기에서 출발하게 된다.

계절	봄			여름			가을			겨울		
오행	木		土	火		土	金		土	水		土
음양	陽	陰	陽	陽	陰	陰	陽	陰	陽	陽	陰	陰
지지	寅	卯	辰	巳	午	未	申	酉	戌	亥	子	丑

음양오행과 12 지지(十二地支)

甲	乙	丙	丁	戊	己	庚	辛	壬	癸
갑	을	병	정	무	기	경	신	임	계
으뜸갑	새을	남역병	남방정	천간무	몸기	별경	매울신	북방임	북방계

子	丑	寅	卯	辰	巳	午	未	申	酉	戌	亥
자	축	인	묘	진	사	오	미	신	유	술	해

陽			陰	
동쪽	남쪽	중앙	서쪽	북쪽
봄	여름	환절기	가을	겨울
木	火	土	金	水
甲　乙	丙　丁	戊　己	庚　辛	壬　癸
寅　卯	巳　午	辰戌　丑未	申　酉	亥　子

오행	木		火		土		金		水	
음양	양	음	양	음	양	음	양	음	양	음
천간	甲	乙	丙	丁	戊	己	庚	辛	壬	癸
지지	寅	卯	午	巳	辰戌	丑未	申	酉	子	亥

[지지와 방위]

천간은 열 개인데 지지는 왜 열두 개가 되는가? 천간이 하늘의 기운인 양의 기운이라면 지지는 땅의 기운인 음의 기운이 된다. 따라서 지지는 지상에서 펼쳐지는 모든 자연 운행의 법칙을 나타내게 되는데 동서남북 네 개의 방위와 춘하추동 사계절에 각각 3개씩

한 단위가 되어 역할을 담당하게 된다. 봄과 동쪽을 담당하는 지지는 寅卯辰(인묘진), 여름과 남쪽을 담당하는 지지는 巳午未(사오미), 가을과 서쪽을 담당하는 지지는 申酉戌(신유술), 겨울과 북쪽을 담당하는 지지는 亥子丑(해자축)이 되는 것이다.

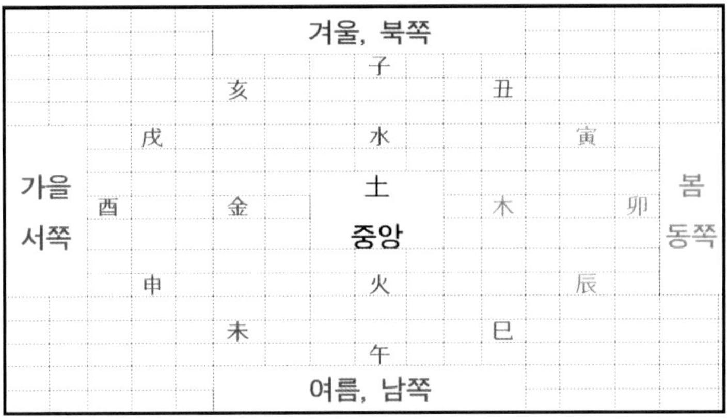

		겨울, 북쪽		
	亥	子	丑	
戌		水	寅	
酉	金	土 중앙	木	卯
申		火	辰	
	未	午	巳	
		여름, 남쪽		

가을
서쪽 (왼쪽), 봄
동쪽 (오른쪽)

위의 그림에서 보는 바와 같이 지지와 방위를 정리 해보면

寅卯辰(인묘진): 동쪽, 동방 木局(목국), 봄

巳午未(사오미): 남쪽, 남방 火局(화국), 여름

申酉戌(신유술): 서쪽, 서방 金局(금국), 가을

亥子丑(해자축): 북쪽, 북방 水局(수국), 겨울이 된다.

여기서 한 가지 의문이 생기는데 천간에서는 오행의 土에 해당하는 戊土와 己土가 방위로는 중앙을 뜻하여 양의 기운인 木火와 음의 기운인 金水와의 사이에 놓여 있는데 지지에서는 어찌하여 土의 기운인 辰戌丑未(진술축미)가 사계절의 끝에 붙어 있는가 하는 점이다.

이것이 바로 천간과 지지의 차이점이고 천간은 10개인데 지지는 12개가 되는 이유이며 하늘의 기운인 천간은 기(氣)적인 의미인데 반해 지상의 기운인 지지는 물질적이고 현실적인 의미라는 뜻이 된다.

따라서 천간의 기운은 순수하지만, 지지의 기운은 이것저것이 마구 섞여 있어 순수하지 못하고 한 마디로 잡것들이 된다. 땅 위에서 살아가는 생명들의 어지럽고 혼탁한 질서가 바로 지지의 기운이기에 그렇다고 볼 수 있다.

하늘의 운행 질서는 한 치 어긋남이 없고 순수한 기운 그대로여서 자연 운동의 순환과정을 木火土金水 오행의 순서를 그대로 펼쳐주지만 지상에서 하늘의 기운을 받아 이루어지는 과정은 약간의 시간적인 차이가 나게 된다. 그래서 계절의 변화에 있어서 환절기에 해당하는 土는 사계절마다 끝에 붙어서 어느 한 계절의 기운을 닫고 다음 계절의 기운을 열어 주는 역할을 하는 것이다.

즉, 辰은 寅卯 봄의 기운을 닫고 다음 계절인 여름을 열어 주고,

未는 巳午 여름의 기운을 닫고 가을을 열어 주며, 戌은 申酉 가을의 기운을 닫고 겨울을 열어 주고, 丑은 亥子 겨울의 기운을 닫고 다음 계절인 봄을 열어 주는 역할을 하게 된다.

이것을 좀 더 자세히 설명하자면 寅卯辰은 봄을 뜻하는데 寅은 봄이 시작되는 시점인 초봄 1월을 나타내고 卯는 봄의 기운이 한창 왕성한 때인 2월을 나타내며 辰은 봄의 끝자락 3월을 나타내는데 辰에 의하여 봄은 사라지게 된다.

巳午未는 여름을 뜻하며 巳는 여름의 기운이 시작되는 초여름 4월을 나타내고 午는 여름의 기운이 절정인 한여름 5월을 나타내며 未는 여름의 마지막인 6월을 나타내는데 未에 의해 여름의 기운이 닫히게 되는 것이다.

申酉戌은 가을을 나타내는데 申은 가을의 시작인 초가을 7월을 뜻하며 酉는 가을의 기운이 한창 무르익은 때인 8월을 나타내고 戌은 가을의 기운이 저무는 때인 9월을 나타내는데 戌에 의하여 가을의 기운은 닫히게 되는 것이다.

亥子丑은 겨울을 뜻하는데 亥는 겨울의 시작인 초겨울 10월의 기

운을 뜻하고 子는 겨울의 기운이 가장 왕성한 한겨울 11월을 나타
내며 丑은 겨울의 기운이 사라져가는 때인 12월을 나타내는데 丑
에 의하여 겨울은 물러가게 되는 것이다.

이렇게 해서 지지에는 계절의 말미에 항상 土가 하나씩 자리 잡고
있는 것이다. 따라서 같은 기운이면서도 운행의 방법이 달라지는
까닭에 천간은 10개가 되고 지지는 12개가 되는 것이다.

QR코드 동영상 강의

왕초보사주학 5강

6강

오행의특성

6강. 오행(五行)의 특성은 무엇인가?

1. 木

木은 힘차게 뻗어 나와 앞으로 밀고 나아가려는 성질이 강할 것이며 위로 솟아올라 하늘 높은 곳까지 닿으려고 한다. 따라서 사람의 성격에 비유하면 미래지향적이 된다. 앞으로 무한히 뻗어 성장해 나가야 하니까 현실보다는 미래에 관해 관심이 크므로 꿈과 목표가 원대한 사람이라고 할 수 있다.

또 앞으로 곧게 뻗쳐 나가는 성질이므로 성격이 직선적이고 솔직하고 단순하며 복잡한 것을 싫어하는 사람이 된다. 밀고 나가는 힘이 강하므로 일에 대한 추진력이 좋을 것이며, 자기 의지력이 강하므로 남의 간섭을 받는 것을 싫어한다. 인생으로 치면 한창 성장할 나이인 유년기에 해당하는데 이때에는 정신적으로나 육체적으로 변화를 많이 겪는 시절에 해당하는지라 木의 기운을 타고난 사람은 변화가 많고 활동력은 왕성하지만 조금 덜렁거리며 기분에 따라 좌우되는 경우가 많다. 더불어 자제력이나 인내심은 부족할 것이고 창조력이 뛰어나서 새로운 일을 만들어 내고 시작하는 연구, 기획 등에 두각을 보이게 된다. 그러나 이런 사람의 단점은 자기가 제일인 줄 착각하기 쉽고 자존심과 고집이 있어서 남에게 지기를 싫어하며 시작은 잘하지만, 마무리가 약한 것이 단점이 되고 싫증을 잘 낸다.

木이 가지고 있는 또 하나의 특징은 木은 오행 중에서 유일한 생명체이므로 환경의 변화에 민감하게 반응하며 큰 나무로 성장한 후 꽃피고 열매를 맺어서 후손을 잇는 씨앗을 남겨야 할 의무를 지니고 있다는 점이다. 이러한 특징은 사람의 성격을 결과를 중시하는 성품으로 만들게 됩니다.

다시 말해서 木의 기운을 타고난 사람의 생각은 열심히 일하여 노력한 결과가 항상 반드시 나타나기를 기대한다는 것이다. 木이 상징하는 것으로는 인생으로 치면 어린 소년 시절을 뜻하고, 계절로는 봄을 나타내며, 방위로는 동쪽(동쪽은 양의 출발 방향)을, 그리고 하루로 치면 해가 떠오르는 아침을 상징한다.

2. 火

火의 특성은 陽 운동의 시작인 木의 작용이 하늘 높이 솟구쳐 올라 옆으로 활짝 펼쳐지는 확산 운동이 된다. 폭죽을 하늘로 쏘아 올리면 쭈욱 뻗어 올라가다가 높은 곳에 다다르면 '펑'하고 터지면서 아름다운 불꽃이 사방으로 퍼져 나가는데 바로 그 퍼지는 현상이 火의 작용 그대로이다. 이처럼 火는 옆으로 펼쳐지고 강하게 확산하는 작용이므로 무언가를 발산하려는 마음이 강하게 작용한다.

火의 기운을 타고난 사람은 불처럼 정열적이고 강렬한 데다 행동이 매우 적극적이고 화끈한 성격이 된다. 표현력이 좋아 말도 잘할 것이고, 또 불은 만상을 밝게 비추므로 비밀이 없는 사람이 되며, 자신의 열기를 만물에 골고루 나누어 주니 희생과 봉사 정신이 뛰어나다. 태양이 천지를 두루 비추듯이 매사 일 처리가 공정하고, 사물의 이치를 잘 밝히듯이 예의가 깎듯이 바른 사람이 된다.

그러나 火의 단점은 불처럼 쉽게 타오르다 어느 한순간 쉽게 꺼져 버리므로 열정은 강하나 인내심이 약하고 끈기가 부족하며 자기주장이 강하여 독선적인 사람이 된다. 또한 쓸데없이 남의 일에 간섭하다 망신을 당하는 일도 있다. 사람의 인생에 비유하면 혈기 왕성한 청년의 시기에 해당하며, 계절은 무더운 여름을 나타내고, 방위로는 한낮에 태양이 머무는 남쪽을 상징하며, 하루 중의 시기는 정오 무렵의 한낮에 해당한다.

3. 土

土의 작용은 음양 운동의 중간에서 부드럽게 방향 전환이 되도록 도와주고 중재하는 역할을 한다. 木火(양), 金水(음)가 서로 대립하여 발생하는 과정에서 통일과 화합을 이루기 위해 발생한 기운이 바로 土이다. 또한 물상 적으로 본다면 土에 해당하는 흙은 본래 정해진 용도가 없으므로 콩을 심으면 콩밭이 되고 고구마를 심으면 고구마밭이 되며 집을 지으면 집터가 되는 것처럼 누구든지 사용하는 사람의 뜻에 순순히 응하는 특성이 있으며 만물의 생명의 흙으로 길러낸다. 土의 기운을 타고난 사람은 말없이 묵묵하고 중립을 잘 지킬 것이며 남을 도와주고 희생하는 정신이 많을 것이다. 또한 土는 콩 심은 데 콩 나고 팥 심은 데 팥 나듯이 매사에

정직하며 뿌린 대로 거두는 농부의 정신을 하고 있겠다. 태산처럼 중후하고 원만한 성격이며 만물을 받아들이듯이 포용력이 커서 너그러운 마음도 지니고 있다. 사람을 배신하지 않는 땅처럼 신용과 약속을 잘 지키고, 만물을 키워내는 특성에 모성애적인 마음을 지니고 있다.

그리고 土는 화술도 뛰어나고 보수적이며 효자가 많다. 그러나 土의 단점으로는 중립의 입장이다 보니 결단성이 약하고 우유부단한 성격이며, 땅속은 파보지 않으면 무엇이 들어 있는지 알 수 없듯이 감추기를 잘하여 비밀이 많아 좀처럼 자신을 잘 드러내지 않는 게 단점입니다.

土의 역할이라면 생명체인 木이 잘 자랄 수 있도록 해야 하므로 따뜻한 열기와 충분한 물이 있어야 하겠다. 그뿐만 아니라 땅에서 金을 생산하는 한편 물을 저장하여 용수로 쓰이게 할 의무도 아울러 지닌다고 보겠다. 土가 상징하는 것으로는 계절로는 환절기를 뜻하며 방위로는 중앙이 되며 사람의 인생으로 치면 노련하고 중후함이 돋보이는 중년기가 土에 해당한다.

4. 金

金의 작용은 음양 운동 중에서 음의 운동에 속하는 작용이다. 대자연의 법칙은 어느 하나의 기운이 무한히 퍼져나가는 것을 막기 위하여 기운이 극에 이르면 반드시 반대 방향의 작용이 발생하여 다시 수축시킨다. 이때 극에 달한 기운을 거두어들이기 시작하는 작용이 바로 金의 작용에 해당한다. 즉 木에서 발생한 양의 기운이 火에 이르러 극에 달하자 더 놓아두었다가는 끝없이 펼쳐져서 자연의 질서를 무너뜨리겠다고 싶으니 이에 火의 왕성한 확산의 기운을 거두어들이기 위해 金이 칼을 뽑아 들고 火를 잡으러 나선다.

그러므로 金은 양의 기운을 차단하는 음의 기운이며 만물을 거두어들이는 작용을 하는 것이다. 金은 한없이 흩어진 火의 발산하는 기운을 무력으로 막아내야 하므로 강제적이고 억압하는 성격이 나타난다. 엄격하고 원리원칙주의자이면서 군인이나 경찰들처럼 무력으로 모든 것을 해결한다. 실제로 金의 기운을 타고난 사람들은 이러한 성정이 있다.

칼과 같으므로 결단력이 강하고 일 처리에 있어 마무리를 잘하며 바위처럼 순박한 면이 있어서 눈물과 정이 의외로 많고 의협심이 강하여 의리를 잘 지킨다. 또한 완숙한 면이 있어 성정이 침착하며 매사를 심사숙고하여 신중하게 처리하는 노련함이 돋보이기도 한다. 이러한 사람의 단점으로는 보석과 같이 뽐내기 좋아하고 칼날처럼 날카로워서 너무 깐깐하게 구는 면이 있다. 또 쇠나 돌처럼 단단하므로 고집이 세며 강인하고 차가운 인상을 풍기게 되는데, 순발력이나 융통성이 부족하여 무모하고 만용을 부리는 것이 단점이라 할 수 있다.

金의 주된 역할은 생명의 젖줄이 되는 맑고 깨끗한 생명수를 만들어서 생명체의 성장을 돕고 또 불의 힘을 빌려 필요한 도구로 만들어져야 하며 곡식을 수확하고 木을 가공하여 목재를 만드는 것이 역할이라고 보면 된다. 金이 상징하는 것은 계절로는 만물을 영글게 만드는 가을이고, 방위로는 오후에 해가 넘어가는 서쪽을 가리키며 인생으로는 50대의 장년기에 속하고, 하루로 치면 해가 지는 저녁 무렵을 나타낸다.

5. 水

水의 작용은 金이 거두어들인 기운을 한 번 더 수렴하여 단단히 응고시키는 작용이라 하겠다. 나무 열매의 씨앗이 바로 水의 작용으로 만들어진 것이라고 보면 되는데 이것은 작은 공간에 많은 유전정보를 담고 있는 것이라고 이해하면 된다. 이렇게 해서 크기를 최소한으로 작게 만들어야 겨울의 추위를 견디고 다음 해봄에 다시 木의 작용으로 싹을 틔워 새 생명이 되어 자랄 수 있게 한다. 그러니까 水는 모든 것을 작고 딱딱하게 응축시켜 감추고 저장하여 보관하는 작용이라 보면 되겠다.

물상적으로는 만물을 소생시키는 생명의 젖줄인 물이라고 하겠는데 이런 水의 작용과 물의 성질을 가지고 있어 水의 기운을 타고 난 사람은 무언가를 보면 작게 축소하고 추고 저장하는 능력이 뛰어나다. 따라서 물욕에 집착하며 저장, 보관, 수집 등을 좋아하게 되고 언제나 생각이 많아 궁리를 많이 하는 편이 된다. 작은 공간 속에 많은 유전정보를 담는 능력이 있으므로 두뇌 회전이 아주 뛰어나다. 실제로 水는 지혜를 상징하는데 그래서 水의 기운을 타고 난 사람은 두뇌가 명석한 편이고 꾀도 많다.

또한 물은 높은 곳에서 낮은 곳으로 흘러 다니기 좋아하는데 물은 한 곳에 고이면 썩기 때문에 항상 움직이기 좋아한다. 이러한 성질로 인하여 水의 기운을 타고난 사람들은 변화를 좋아하고 한곳에서 뭉치는 것을 좋아하여 단결력도 뛰어나다. 그리고 물은 흘러가다가 장애물이 생기면 곧바로 돌아가는 지혜를 가지고 있는데 이것은 사람에게 풍부한 융통성과 포용력, 임기응변의 자질을 갖게 하고 타협하는 성품이 뛰어나다.

水의 기운을 타고난 사람의 단점이라고 한다면 깊은 물을 닮은 사람은 속을 알 수 없는 물처럼 음흉하게 보일 우려가 있으며, 얕은 물을 닮은 사람은 잔꾀를 잘 쓰는 편이다. 또한 굽이치는 물처럼 인생에 굴곡과 풍파가 많고 어디든지 흘러 다니므로 변화가 심하여 일관성이 없는 것이 단점이다.

水의 역할은 생명체인 木의 성장을 돕는 생명수의 역할을 해야 하며 火의 기운이 너무 강하게 발산하지 못하도록 억제하는 역할이다. 水가 상징하는 것으로는 계절은 겨울을 나타내며 방위로는 북쪽이고 인생으로는 노년기에 해당하며, 하루로 치면 만물이 잠드는 어두운 밤에 해당한다.

QR코드 동영상 강의

왕초보사주학 6강

7강

오행

相生 相剋

7강. 오행의 상생(相生)과 상극(相剋)은 무엇인가?

[五行의 相生]

오행의 생극제화(生剋制化)라는 것은 오행의 어느 한 성분이 다른 성분을 만났을 때 어떤 것들은 만나면 서로 좋아서 도와주고 또 어떤 것들은 만나면 매우 싫어하여 방해하고 때에 따라서는 못살게 구는 현상이 나타나게 되는데 이렇게 오행끼리 서로 만나 일으키게 되는 작용의 현상을 모두 일컬어 말한다.

예를 들면 오행 중에서 木이 火를 만나면 木은 火를 반갑게 맞이하여 도와주는 작용을 하는데 이런 경우에는 木이 火를 생(生)하여 준다고 하며 상생(相生) 관계라고 말한다. 이와는 반대로 木이 土를 만나면 매우 싫어하여 土를 못살게 하고 죽이려 달려드는데 이런 경우를 木이 土를 극한다고 하며 상극(相剋)관계라고 한다.

상생(相生)은 글자 그대로 서로 生한다는 의미이다. 水生木이라는 의미는 水가 木을 生 한다고 하는데 木도 水를 生 한다고 할 수 있는 것이다. 그 이유는 水를 剋 하려고 하는 土를 木이 土를 剋하여 결과적으로 水를 보호해 주기 때문에 相生이라고 하는 것이다. 相剋도 이와 마찬가지 논리다.

상생 관계나 상극의 관계는 꼭 살리고 죽이는 관계만이 아니라 양쪽 모두 다 때에 따라서는 좋은 방향과 나쁜 방향으로 작용하게 되는데 이것을 제화(制化)라고 표현을 한다. 이러한 상생과 상극의 작용을 모두 통틀어서 오행의 생극제화(生剋制化)라고 한다.

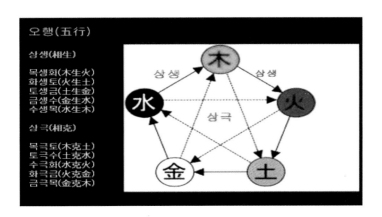

다시 언급하면 오행끼리 만나면 서로 반겨서 좋아하고 도와주고 生하여 주는 작용을 일으키는 현상을 오행의 상생(相生)이라고 한다. 여기서 相生이란 말은 여러 가지 의미를 지니는데,

첫째로 서로 도와주고 살린다는 뜻이고,

둘째로 나아간다는 의미이고

셋째로 화(化)한다는 의미를 지진다.

가령 木生火라고 하면 木은 火를 도와주고 생하여 준다는 뜻이되고, 또한 木의 작용은 火를 향해서 나아간다는 뜻이 되며, 木은

火로 변하여 간다는 뜻을 동시에 가진다는 것이다. 이것은 사주 해석에서도 매우 중요한 의미로 쓰이게 되는 데 각각의 개별적인 상황에 따라서 해석의 의미는 달라진다는 것을 염두에 둬야 한다. 이것을 순서대로 써 보면 다음과 같다.

相生
木 生 火
火 生 土
土 生 金
金 生 水
水 生 木
끊임없이 순환 반복한다.

木生火, 木은 火를 만나면 나는 작용을 하게 된다. 이것을 물상적으로 표현하면 이해하기가 쉬운데, 나무를 태워서 불이 발생한다고 생각하면 된다. 물론 물상적으로만 이해해서는 안 되고 외우고 이해하기 쉽도록 하기 위해서이다.

火生土, 火는 土를 만나면 생하는 작용을 하게 되는데 불이 타고 나면 재가 되어 흙으로 변한다든가, 또는 태양의 따뜻한 열기가 대지를 비추어 만물이 잘 자라도록 돕는다고 생각하면 된다.

土生金, 土는 金을 만나면 생하는 작용을 하게 된다. 金은 쇠붙이를 말하고 쇠붙이는 흙 속에서 캐어낸다고 이해를 하면 쉬울 것이다.

金生水, 金은 水를 만나면 생하는 작용을 하게 된다. 金生水라고 하면 쇠붙이가 물을 만들어 낸다는데 언뜻 이해가 쉽지 않을 것이다. 우선 물상적으로 이해하면 더운 여름날 시원한 콜라를 얼음에 채워 유리컵에 담아두면 얼마 지나지 않아 유리컵의 바깥쪽 면에 물방울이 생기게 되는 현상을 본 적이 있을 것이다. 이것이 바로 金生水의 현상이다.

유리는 광물질로서 오행 상 金의 성분이 되는 것이니 金은 음의 운동이 시작되는 첫 단계로서 차가운 성분이다. 이렇게 차가운 성분은 물질을 단단하게 수축시키는 작용을 하는데 공기 중의 수분이 金의 차가운 기운을 만나 응고되어 물방울로 맺히게 되는 현상이다.

혹 어떤 사람은 바위틈에서 맑은 물이 솟아 나오니 金生水라고도 합니다만 물이 꼭 바위틈에서만 생겨나는 것이 아니라 흙 속에서도 만들어져 솟아 나오니 이것은 이해하기가 좀 어려운 부분이 있다. 암튼 물상적이든 오행 작용의 순서이든 이해하기 쉬운 쪽으로 익혀 두는게 가장 좋다.

水生木, 水는 木을 만나면 생하는 작용을 하게 된다. 물은 생명의 근원으로 만물을 소생시키는 작용을 하는데 나무에게 있어서 물은 절대적으로 필요한 요소인지라 물이 나무를 생하여 준다는 것에 대해서는 쉽게 이해할 수 있으리라 본다. 오행의 相生 관계는 매우 중요한 기본이론이므로 반드시 암기해야 한다.

相剋
木 剋 土
火 剋 金
土 剋 水
金 剋 木
水 剋 火
끊임없이 순환 반복한다.

[오행의 相剋]

천지 만물이 생멸하는 법칙은 生하는 작용과 剋하는 작용을 통하여 이루어지는데 오행의 상극 작용이라는 것은 앞서 설명한 오행의 상생 작용과는 상대되는 개념이다. 상생(相生)이 서로 반가이 맞이하여 도와주고 살려주는 기운이라면 상극(相剋)작용은 서로 만나면 원수처럼 으르렁거리며 못잡아 먹어 안달이 난 현상이라 말하면 이해가 쉽다. 그러나 상극의 작용 역시도 좋은 결과를 만들어 주는 순기능의 역할도 있으므로 반드시 서로 죽이는 현상이라고 생각할 것은 아니다. 즉, 상극이라는 말에서 剋한다는 의미는 **첫째 죽인다.**

둘째 내가 갖기 위해 취한다.

셋째 조절하고 통제한다.

등의 다양한 의미가 있는데 여기서 통제한다는 것은 적당한 자극으로 다듬고 조절하여 쓸모없는 것을 쓸모 있게 만든다는 좋은 뜻이 내포되어 있다.

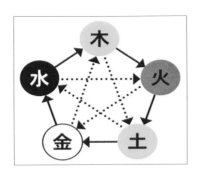

상극의 작용은 위의 그림과 같이 서로 떨어진 것끼리 만나면 일어나게 된다. 앞서 상생의 작용은 가까이 있는 이웃끼리의 만남이었는데 여기서는 멀리 떨어진 동네와의 만남이므로 멀리 있어서 서로 낯설기 때문에 좋아하지 않는다고 이해한다.

木剋土. 木은 土를 만나면 극하는 작용을 하게 된다. 木이 土를 극 한다는 내용이 이해가 쉽지 않을 것 같지만 일단 물상적으로 이해를 먼저 해보면 나무의 뿌리가 땅을 파헤치니 木이 土를 극한다고 본다. 또 오행의 작용상으로 보면 이른 봄에 힘차게 뻗치며 솟구쳐 오르는 기운이 木의 현상이고, 土는 극에 다다른 양기를 차단하여 막는 작용이니 이에 木의 힘찬 기운이 土의 억제하는 작용과 서로 상반되는 현상이라 보면 이해가 되겠다.

물론 오행의 상생상극하는 작용을 물상적으로만 이해해서는 안되지만 여기서는 상극현상의 이해를 돕고 익히는 것이 우선하기 때문에 좀 더 깊은 내용은 차차로 알게 되므로 처음부터 너무 깊게 들어가지 마시고 우선 쉬운 방향으로 이해를 먼저 해야 한다.

土剋水. 土는 水를 만나면 극이라는 작용을 하게 된다. 土는 흙으로 흙은 물이 가는 길을 막으므로 극 한다고 한다. 土의 의무 중의 하나가 흘러가는 물을 가두어 쓸모 있는 용수로 만드는 것인데, 이때 土는 물을 가두는 댐과 같은 역할을 하여 물의 흐름을 막는다고 이해하면 된다.

水剋火. 水는 火를 만나면 극하는 작용을 하게 된다. 물과 불은 언제나 대천지 원수 같은 사이라서 언제나 만나면 상극이다. 불이 나면 소방차가 달려와서 물을 뿌려 불길을 잡는다. 불의 뜨거운 열기를 가라앉히는 데는 물만한 것이 없는 것이다.

火剋金. 火는 金을 만나면 극하는 작용을 하게 된다. 金은 쇠붙이로 광산에서 캐온 쇠붙이를 쓸모 있는 농기구로 만들기 위해서는 불의 힘이 절대로 필요하다. 또한 쇠붙이를 녹일 수 있는 것은 불이므로 火는 金을 만나면 극하는 작용을 한다고 하는 것이다.

金尅木. 金은 木을 만나면 극하는 작용을 하게 된다. 金은 도끼이고 도끼로 나무를 찍어 죽이니 金이 木을 극 한다고 보면 쉽게 이해가 되지만, 그러나 金尅木의 경우에도 도끼로 나무를 죽이는 역할만 있는 것이 아니라 나무를 다듬어 목재로 만들고 여러 가지 조각품도 만드는 것처럼 통나무를 쓸모 있게 만들어 가치를 높이는 좋은 작용도 한다고 보아야 한다.

또한 오행의 작용으로 본다면 발산하는 봄의 성질인 木을 金의 차가운 가을 기운이 수축시키고 응고시켜 더 이상 무한히 펼쳐지지 못하게 억제하는 역할이 金尅木의 의미라는 것도 함께 이해해야 한다. 오행의 상극 작용 또한 사주 해석의 기본이면서 대단히 중요한 것이므로 반드시 암기하여 두어야 한다.

[五行의 相生. 相尅 숙달 연습하기]

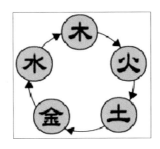

먼저 木을 기준으로 시계 화살표 방향 쪽으로 木生火, 火生土, 土生金, 金生水, 水生木을 순서대로 소리 내어 읽는다.

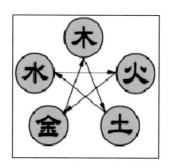

이번에는 木을 기준으로 시계 화살표 방향으로 한칸 건너뛰어 木剋土, 土剋水, 水剋火. 火剋金. 金剋木을 순서대로 소리내어 읽는다.

QR코드 동영상 강의

왕초보사주학 7강

8강

오행의

변화

8강. 오행의 변화(變化)란 무엇인가?

오행의 상생 상극의 원칙이 뒤바뀌는 경우가 오행의 변화이다. 사주 용어에 태과즉불급(太過卽不及)이란 말이 있다. 이 말은 너무 지나치게 많은 것은 오히려 모자라는 것과 같다는 뜻으로 음양오행의 조화에도 상생이나 상극이 태과하면 즉, 너무 많으면 본래의 작용과는 달리 도리어 해가 된다는 뜻이다. 여기에는 생하여 주는 성분이 너무 많으면 오히려 도움을 주는 것이 아니라 해가 된다는 뜻의 생(生)의 과다(過多)와 설(洩)의 과다(過多)와 극을 하는 성분보다 극을 받는 성분이 많으면 오히려 역으로 극을 받는 剋(극)의 과다(過多), 세 가지의 경우가 있다.

1) 생(生)의 과다(過多)

이것은 자식에 대한 부모님의 사랑이 지나쳐서 과잉보호가 되면 나중에 자식이 성인이 되어서도 자기 스스로 독립할 줄 모르는 마마보이가 되는 것처럼 오행의 상생관계에서도 도와주고 살려주는 기운이 너무 많으면 도리어 부작용이 생겨서 나쁜 효과가 나타나게 된다. 이것을 사주에서는 생의 과다라고 말한다.

아무리 좋은 것이라도 적당해야 안정이 되고 편안해지는 법인데 지나치면 도리어 나쁘게 작용한다는 것입니다. 밥도 너무 많이 먹으면 배탈이 나듯이 자연의 이치에도 무엇이나 지나치면 조화와 균형을 잃어 탈이 나게 되는 법이다. 사주에서도 이처럼 어떤 오행의 한 성분이 너무 많아 탈이 생기는 경우를 사주에 병이 들었다고 표현하는데 병이 든 사주에 적당한 약을 찾아 치유하는 경우가 있다.

生의 과다(過多)
수다목부(水多木腐)
목다화식(木多火熄)
화다토척(火多土斥)
토다매금(土多埋金)
금다수탁(金多水濁)

1. 수다목표(水多木漂), 수다목부(水多木腐) 물이 너무 많으면 나무는 뿌리가 썩는다.

먼저 水는 木을 만나면 반가이 맞이하여 도와주고 생하여 주는 작용을 한다. 그러나 木을 도와주는 물이 너무 많으면 나무는 물에 뜨거나 그 뿌리가 썩어 도리어 해로운 작용을 한다는 뜻이다. 이러한 현상을 사주의 전문용어로 수다목표(水多木漂), 또는 수다목부(水多木腐)라고 표현한다.

나무가 잘 자라기 위해서는 물이 반드시 필요하다. 무더운 여름날 더위에 지쳐 축 늘어진 나무에 시원하게 한줄기 소나기를 뿌려 주면 나무는 금방 싱싱하게 되살아나는 것을 볼 수 있다. 그러나 너무 많은 비가 내려 홍수가 난다면 나무는 오히려 물로 인해 나무는 뿌리가 썩어 죽어가거나 아니면 물 위에 둥둥 뜨게 되어 도리어 나무의 역할을 할 수가 없게 되는 것이다. 그러므로 나무가 잘 자라기 위해서는 물의 기운이 적당해야 좋다는 말이 되는 것이다.

2. 목다화식(木多火熄) 나무가 너무 많으면 불은 질식하여 꺼진다.

木은 火를 만나면 제 몸을 태워 불이 활활 잘 타도록 도와주고 생하여 주는 작용을 한다. 그러나 이 경우에도 불 속에 나무를 너무 많이 넣으면 불은 오히려 질식하여 꺼지게 된다는 것이다. 그러므로 불이 잘 타기 위해서는 木의 기운이 적당해야 좋다는 의미이다.

3. 화다토척(火多土斥) 햇빛이 너무 강하면 땅은 사막처럼 메말라 버린다.

火는 土를 만나면 土를 도와주고 생해주는 작용을 하는데 이때에도 역시 火의 기운이 너무 많거나 강하면 土는 오히려 까맣게 타버려서 생명을 살릴 수 없는 척박한 땅이 된다는 것이다. 따뜻한 봄날의 양지 녘에 햇살이 포근하게 비치면 태양의 온기로 인해서 땅 위의 모든 생물은 무럭무럭 잘 자라나게 된다. 그러나 태양의 기운이 너무 강렬하게 비추면 땅속의 수분은 모두 증발해 버리고 땅이 메마르게 되어 그곳에는 오히려 생명이 살아갈 수 없는 죽음의 땅이 된다. 사하라 사막과 같은 생명이 살 수 없는 불모의 땅을 생각해 보라. 태양의 열기가 너무 강하기 때문에 사막에는 생명이 살지 못한다는 사실을 상상하면 火의 기운이 너무 많아 땅이 척박하게 되는 화다토척(火多土斥)의 뜻이 이해될 것이다.

4. 토다매금(土多埋金) 보석이 흙 속에 묻히면 빛을 내지 못한다.

한 마디로 진흙 속의 보석을 생각하면 되겠다. 土는 金을 만나면 金을 도와주고 생 해주는 작용을 하지만 흙이 너무 많으면 金은 도리어 흙 속에 묻혀서 제구실하지 못하게 되니 나쁜 작용을 하게 된다는 뜻이다.

5. 금다수탁(金多水濁) 바위가 많으면 물은 탁해져서 못 먹는다.

金은 水를 만나면 반겨서 도와주고 생해주는 작용을 하지만 그러나 金의 기운이 너무 많거나 강하게 되면 물은 오히려 탁해져서 생명수의 역할을 하지 못하게 된다는 뜻이다.

이처럼 사주에서는 오행의 기운이 골고루 균형을 이루어 조화되어야 좋은 사주이고 따라서 복 받은 행복한 삶을 살아갈 수가 있는데 오행의 기운이 어느 한쪽으로 치우치게 많으면 그것이 병이 되어 해로운 방향으로 작용하게 되므로 인생도 그만큼 힘들게 살아가는 것이다. 사주 해석에 있어서 태과즉불급 이론은 대단히 중요한 이론이기 때문에 반드시 숙지해야 할 부분이다.

2) 설(洩)의 과다(過多)

洩의 過多
목다수축(木多水縮)
화다목분(火多木焚)
토다화식(土多火熄)
금다토약(金多土弱)
수다금침(水多金沈)

기운을 너무 많이 빼면 약해져서 병이 된다. 설(洩)이라는 말은 무언가를 새어 나오게 하고 빼 내어간다는 뜻이다. 사주를 해석할 때에 설이라는 말을 자주 쓰게 되는데 이것은 오행의 기운을 빼내어 간다라는 뜻으로 사용하고 있다. 즉, 水가 木을 만나 木을 생하여 준다는 '水生木'의 경우에 木의 입장에서 보면 水가 木을 도와주고 생하여 준다고 볼 수 있지만 水의 입장에서 본다면 木은 水의 기운을 빼 내어가는 존재가 된다는 것이다.

바로 이때 쓰는 말로서 木은 水의 기운을 '빼내어 간다' '설 한다', 또는 '水는 木을 설하여 준다'라고 표현하는 것이다. 그러므로 결국 설의 과다라고 하는 말의 뜻은 나의 생조를 받는 대상이 너무 많아서 그것을 모두 도와주고 나니 나의 기운이 다 빠지고 내가 약해진다는 뜻으로 이해하면 된다.

1. 목다수축(木多水縮) 가뭄이 든 논에는 샘물이 모자란다.

水는 木을 만나면 생하여 주고 도와주는 관계이다. 그러나 水의 도움을 받고자 하는 木이 너무 많으면 水는 기운이 다 빠져서 水의 역할을 제대로 수행할 수가 없게 되는 현상을 말한다. 마치 가뭄이 들어 바짝 말라가는 논바닥에 물을 대야 하는데 물의 양은 적어서 논 하나에 모두 주어도 모자랄 지경이고 물이 필요하는 논은 김해평야처럼 넓다면 이 물은 있으나 마나 하여 물을 준다고 하여도 가뭄에 타들어 가고 있는 벼에는 아무런 도움이 되지 못하는 것과 같은 원리이다.

2. 화다목분(火多木焚) 뜨거운 사막에는 나무가 살 수 없다.

나무가 잘 자라기 위해서는 봄날의 따스한 햇살이 필요하다. 그러므로 火의 온기가 적당해야만 나무가 무럭무럭 잘 자랄 수가 있는데, 반대로 사막의 태양처럼 그 열기가 너무 강하면 나무는 오히려 강한 火의 기운에 말라버리거나 불타 없어지게 되므로 살 수가 없게 된다. 따라서 火의 기운이 적당해야 하며 너무 강하면 나무가 불타서 죽게 된다고 하여 화다목분이라고 한다.

3. 토다화식(土多火熄) 재를 너무 많이 덮으면 화롯불은 꺼진다.

여기서 火가 土를 만나 생해주는 관계는 한 겨울 추운 날씨에 꽁꽁 얼어붙은 땅에 따스한 햇빛을 비추어 만물이 자라날 수 있도록 土를 도와준다, 즉 土가 땅으로서의 역할을 제대로 할 수 있도록 도와준다는 의미로 생각을 하면 된다. 그러나 역시 녹여 주어야 할 동토(凍土)는 너무 많은데 火의 기운이 촛불처럼 약하다면 火는 土에게 아무런 도움을 줄 수가 없어 제 구실을 할 수 없을 것이다.

한편, 추운 겨울날 방안에 피워두는 화로를 생각해 보자. 오행의 상호관계에서 土의 의무 중의 하나는 火의 불씨를 보관하여 꺼지지 않게 하는 작용을 한다. 그것을 단적으로 보여주는 물상적인 표현이 바로 화로의 화톳불이 되겠다. 화로 속에 숯불을 담고 그 위에 재를 덮어 잘 다독여 놓으면 불의 따뜻한 열기가 밤을 새우도록 꺼지지 않고 잘 살아 있다. 그런데 불씨를 보호하기 위해 덮어두는 재의 양이 너무 많으면 불씨는 산소를 공급받지 못해 질식하여 급기야 꺼지고 마는 것이다.

4. 금다토약(金多土弱) 돌이 많으면 문전옥답이 자갈밭으로 변한다.

土는 金을 만나면 생하여 주고 도와주는 관계를 이루지만 金의 기운이 너무 많으면 土의 기운을 모두 소모하게 되어 金을 생조하는

土의 역할이 제대로 이루어지지 않는다는 것이다. 이것은 물상적으로 본다면 농작물이 잘 자라는 문전옥답에 자갈이 많이 있으면 자갈밭이 되어 쓸모 없는 밭이 되는 것과 같은 현상이다. 그러나 자연의 운동법칙을 놓고 보면 土의 운동이 金의 수축하는 운동방향을 향해 진행해 갈 때에 수렴의 기운인 金의 작용이 너무 강해지면 土의 운동성이 무력해진다고 함께 이해해야 금다토약을 바로 이해하는 것이다.

5. 수다금침(水多金沈) 물이 넘치면 금속이 물에 잠기게 된다.

金은 水를 생하여 주는 관계가 되는데 그러나 水의 기운이 많거나 강하면 金은 반대로 약해져서 水를 도울 수가 없으며 도리어 강한 물속에 金이 잠겨 버린다고 보면 되겠다. 자연운동의 법칙에서 水의 기운이 극에 달한 겨울의 강한 추위 속에서는 아무리 강한 숙살지기의 金이라 하더라도 맥을 출 수가 없게 되는 것은 말할 필요조차도 없으리라 본다.

3) 극(魁)의 과다(過多)

앞에서 우리는 극 한다는 것을 '죽인다' 또는 '못살게 군다', 그리고 가진다는 의미의 '취한다'와 서로의 기운을 '조절하여 준다' 등 다양한 의미로 쓰여진다고 배운 바 있다. 여기서 극의 과다에 해당하는 것은 바로 '조절하여 준다' 또는 '통제한다(control)'는 의미를 토대로 해서 이해를 하면 될 것이다. 즉, 극하는 기능 중에서

나쁜 작용은 제외하고 좋은 작용을 하는 순기능을 일컫는 말인 것
이다.

剋의 過多
화다수갈(火多水渴)
금다화식(金多火熄)
목다금결(木多金缺)
토다목절(土多木折)
수다토붕(水多土崩)

예를 들면 火의 기운이 너무 강하여 나무를 태워 죽이려고 할 때
水가 火를 극하고 통제하여 기운을 조절함으로써 따뜻한 온기로
변한 火는 나무의 성장을 제대로 도와줄 수가 있을 것이고, 무쇠덩
어리인 金은 火가 극하고 통제하여 金을 녹여야만 아름다운 보석
으로 탄생하거나 또는 생활에 필요한 각종 도구가 될 수 있는 것
처럼 극하는 작용이 좋은 결과를 낳는 경우도 있는 것이다.

그런데 극을 받아서 적당한 기운으로 통제되어야 할 오행의 기운
이 극하는 오행의 기운보다 강할 때에는 극으로 인한 통제가 되지
않는다는 것이다.

1. 화다수갈(火多水渴) 큰 불은 물로도 끌 수가 없다.

水는 火를 보면 극하여 조절하는 작용을 하는데 火의 기운이 너무 강하면 물은 오히려 증발하여 말라버리게 되는 것과 같은 이치로 큰 산불이 났는데 몇 통의 물로는 끌 수가 없는 것과 마찬가지이다. 이처럼 아무리 水가 火를 극한다고 하지만 그것은 서로의 기운이 어느 정도 비슷한 경우에나 될 법한 말이지 기운의 규모가 비교도 되지 않을 만큼 차이가 난다면 천하의 水장군이라 할지라도 火를 대적하여 이길 수가 없는 것은 당연한 결과이다. 마치 초등학교에서는 씨름선수인 아이가 보통 사람인 어른을 만나서는 이길 수 없는 것과 같은 이치이다.

2. 금다화식(金多火熄) 촛불은 용광로가 될 수 없다.

火는 金을 보면 극하여 제련함으로써 무언가 쓸모 있는 도구로 만들어 주는 역할을 하는데 이 경우에도 火의 기운이 보잘것없거나 火의 기운에 비해 金의 기운이 너무 많거나 강하면 火는 제 역할을 할 수가 없게 되고 불은 오히려 꺼지게 된다.

3. 목다금결(木多金缺) 면도칼로 고목나무 베기이다.

金은 木을 만나면 극하여 목재로 다듬어 쓸모 있게 만드는 작용을 하게 되지만 木의 기운이 너무 강하면 오히려 金이 상하게 된다는 뜻이다.

4. 토다목절(土多木折) 나뭇가지로 흙을 파면 가지가 부러진다.

木은 土를 극하고 파헤침으로써 나무가 자라기 좋은 흙으로 만드는 역할을 하지만 그러나 이 경우에도 土의 기운이 너무 강하면 나무가 도리어 부러지게 된다.

5. 수다토붕(水多土崩) 홍수가 나면 강둑이 무너진다.

土는 水를 극하고 통제하여 생명수로 가두어 두는 역할을 하지만 물이 너무 많거나 강하면 흙의 둑이 도리어 무너지거나 또는 흙이 물속에 잠기게 되어 제 역할을 할 수가 없게 된다.

이처럼 천지 만물 자연의 이치가 모두 다 그렇듯이 무엇이나 지나치면 좋지 못한 결과를 낳게 되는데 사람의 사주에도 이와 같은 이치가 작용하는 까닭이므로 사주에는 음양과 오행의 기운이 한쪽으로 과다하게 편중되지 않고 골고루 균형을 잘 이루고 있어야 좋은 사주가 되는 것이다.

QR코드 동영상 강의

왕초보사주학 8강

9강

오행의

통관

9강. 오행의 통관(通關)이란 무엇인가?

오행의 통관
수화통관목(水火通關木)
화금통관토(火金通關土)
금목통관수(金木通關水)
목토통관화(木土通關火)
토수통관금(土水通關金)

통관(通關)이란 말의 한자어를 풀이 해 보면 막힌 것을 뚫어서 서로 통하게 해 준다는 뜻이 된다. 이 말은 물이 흘러가다가 흙더미에 막혀서 더 이상 나아가지 못한다면 흙더미를 치워서 물의 길을 열어 주는 즉, 막힌 것을 통하게 해준다는 의미가 된다.

그러나 사주를 해석할때에 통관이라는 말은 이런 뜻 이외에도 여러 가지 다양한 의미를 담고 있다. 예를 들면 오행의 한 기운이 약하여 제구실 못 하고 있는데 그것을 도와주는 기운이 와서 약한 것을 강하게 해주면 비로소 제구실할 수가 있게 되어 사주의 전체에 좋은 운이 흐르도록 한다는 의미도 있다.

이런 경우에 만약 오행의 약한 기운이 병이 되어 있었다면 몸에 있는 병이 회복되는 것이고 약한 오행의 기운으로 인하여 재물복이 막혀 있었다면 재물운이 트여서 돈이 생긴다는 뜻으로 해석하게 되는 것이다.

통관이란 바로 이렇게 막힌 것을 뚫어서 해소시켜 주는 기운이 사주 내에 있거나 또는 사주에는 없는데 운에서 들어왔을 경우에 쓰는 말이다.

1. 수화통관목(水火通關木) 水와 火의 막힘에는 木이 통관이다.

水는 火를 만나면 극을 하는 水剋火의 관계가 이루어지는데 이때에 만일 木이 있다면 水는 火를 극하는 것을 그만두고 木을 반가이 맞이하여 생하여 주는 작용을 하게 된다. 이렇게 水의 생조하는 힘을 받은 木은 水로부터 도움을 받아 그렇게 강해진 힘을 火의 기운을 돕는다.

즉, 木生火가 일어난다는 말이다. 그렇게 되면 처음에는 水를 만난 火가 水의 극하는 작용 때문에 무척이나 괴로운 고통의 나날을 보내야 했는데 구세주인 木이 나타나서 水를 잡아 그 힘을 역으로 이용하여 火를 고통으로부터 구제할 뿐만 아니라 더욱 강하게 힘을 만들어 주는 것이다.

여기서 '탐생망극(貪生忘쿈)'이라는 말이 있다. 한자의 뜻풀이를 해보면 탐할 탐(貪), 날 생(生), 잊을 망(忘), 이길 극(쿈)이라는 말이 되는데, 이 뜻을 직역하면 '생(生)을 탐(貪)하여 극(쿈)을 잊는다(忘)'라고 해석할 수가 있다. 여기서 生이라는 말은 오행의 상생상극하는 작용 중에서 서로 생하여 주는 관계를 말하는 것이고 쿈이라는 말은 상극하는 작용을 말하는 것이 된다.

따라서 탐생망극이라는 말의 의미는 상생하고 상극하는 관계가 동시에 이루어진다면 오행은 먼저 생하는 관계를 쫓아가서 반기고 극하는 작용은 잊어버려서 이루어지지 않는다는 뜻이 된다. 이는 마치 우리 인간들의 관계에서도 이웃 간에 서로 화목하게 잘 지내는 것을 좋아하고 원수처럼 싸우는 나쁜 관계를 원하지 않는 것과 같은 이치라고 생각하면 된다.

앞으로 사주를 해석할 때에도 극하는 관계와 생하는 관계가 동시에 놓여 있다면 바로 탐생망극의 원리를 적용하여 극하는 관계는 생각할 필요가 없고 생하는 관계만을 놓고 사주를 풀이한다면 오행의 생극관계에서 헷갈리는 일은 없을 것이라 여겨진다. 탐생망극 또한 사주해석에 있어서 중요한 원리이므로 반드시 기억해 두시기 바란다.

2. 화금통관토(火金通關土) 火와 金의 막힘에는 土가 통관이다.

이것 또한 위의 경우와 마찬가지로 이해하면 된다. 火가 金을 극하고 있어서 金이 고통받을 때 통관 오행인 土가 있으면 火는 金을 극이라는 작용을 버리고 土를 쫓아 생하는 작용을 하게 되는 것이다.

火의 생조를 받은 土는 강해진 힘으로 金을 도와 金으로 하여금 고통에서 벗어나게 해주고 또한 金을 강하게 만들어 주는 것이다.

3. 금목통관수(金木通關水) 金과 木의 막힘에는 水가 통관이다.

4. 목토통관화(木土通關火) 木과 土의 막힘에는 火가 통관이다.

5. 토수통관금(土水通關金) 土와 水의 막힘에는 金이 통관이다.

QR코드 동영상 강의

왕초보사주학 9강

10강

24 절기

10강. 24절기(節氣)란 무엇인가?

1년은 12節에 氣가 12로서 합해서 24절기이다. 절기(節氣)는 태양력에 맞추어 놓았다. 매년의 일출(日出) 일몰(日沒) 시간이 똑같다. 음력(陰曆) 속에는 양력(陽曆)이 포함되지만, 양력 속에는 음력이 없다. 역(易)의 원류는 기류(氣流)의 변화에 중점을 두고 있다. 낮에는 육지의 기류(氣流)가 바다로 가고, 밤에는 바다의 기류(氣流)가 육지로 온다. 조수의 차이는 음력으로만이 가능하다.

국회의사당의 기둥이 24개인데. 24 節氣를 따서 지어 놓은 것이다. 절기(節氣)에 의하여 해가 뜨고 지는 것 등의 기류가 달라진다. 易의 기본은 氣에 있으며, 氣의 변화는 節氣에 의한다. 역학(易學)은 운기(運氣)의 작용으로 희노애락의 변화가 생긴다. 24節氣란 음력 속의 양력으로 해가 뜨고 지는 것에 맞추어졌다. 그러므로 음력 속에 節氣가 있다는 것은 동양은 서양을 포용하고 있다는 것으로 절기는 모두 양력에 맞추어져 있으니 항상 하지(夏至)는 6월 22일이고 동지(冬至)는 12월 22일이다.

태양력은 보통 농사일을 할때 절기가 아주 잘맞다. 보통 농사일에 음력을 사용한다고 알고 있으나 음력은 달과 관계된 것이고 달은 물과 깊은 연관이 있으므로 물(여성의 생리 포함)의 작용에 잘맞다. 그러므로 음력은 해양, 항해, 수산 등의 물때를 보거나 물에 관계되는 것에 더욱 많이 사용하는 것이다.

그리고 절기력은 아주 정확하여 운명을 감정하는 역학에 사용하는 것이다. 지구가 태양을 한 바퀴 도는 것을 공전이라 하며 1공전이 일년이 걸리는데 1공전(일년)은 대략 365일 1/4일(6시간)정도 걸린다고 한다. 그러나 이 6시간도 정확하게 5시간 59분 정도가 걸린다고 한다. 해서 윤달을 두거나 2월을 29일 또는 28일로 해서 정확하게 처음의 괘도에 오게 만드는 것이 양력이 되는데 절기력은 공전의 좌표에 의해 정확하게 절기를 정해 놓았다. 원래 절기는 24절기이지만 12절기로 구분하여도 아주 정확하다. 모든 시작은 입춘을 기점으로 하며 각 절기가 들어오는 시각을 중심으로 하여 1년 12달의 12절기가 이렇게 돌아가는 것이다.

절기란 년중 12절기가 있는데 이를 제대로 알아야만 만세력을 찾아 사주 기둥을 세울때 제대로 된 기둥을 세울 수가 있는 것이다. 절기(節氣)는 1,2,3월, 4,5,6월, 7,8,9월, 10,11,12월로 구분되어

1월: 입춘(지지:寅)　2월: 경칩(지지:卯)　3월: 청명(지지:辰)

4월: 입하(지지:巳)　5월: 망종(지지:午)　6월: 소서(지지:未)

7월: 입추(지지:申)　8월: 백로(지지:酉)　9월: 한로(지지:戌)

10월: 입동(亥)　　11월: 대설(子)　　12월: 소한(丑)

위에 기록된 것을 기준으로 하여 만일 자신이 찾고자 하는 日이 입춘 전이면 그 전 해의 年을 세워야 하고, 月을 찾을 땐 그 前月을 찾아 세워야 한다. 따라서 만세력을 찾을 때 日을 먼저 찾아 기록하고 그다음 月을 그다음 년을 기록하고 時는 만세력에 시간표를 보고 찾아 기록한다.

[24節氣]

月 時	寅月	卯月	辰月	巳月	午月	未月	申月	酉月	戌月	亥月	子月	丑月
節	立春	驚蟄	淸明	立夏	芒種	小暑	立秋	白露	寒露	立冬	大雪	小寒
날짜	2/04	3/06	4/05	5/06	6/06	7/07	8/08	9/08	10/08	11/07	12/07	1/05
日出	07:34	06:57	06:13	05:32	05:11	05:17	05:41	06:08	06:34	07:04	07:33	07:47
日沒	17:59	18:30	18:58	19:27	19:50	19:56	19:34	18:51	18:04	17:30	17:13	17:28
氣	雨水	春分	穀雨	小滿	夏至	大暑	處暑	秋分	霜降	小雪	冬至	大寒
날짜	2/19	3/21	4/20	5/21	6/21	7/22	8/23	9/23	10/23	11/22	12/22	1/20
日出	07:17	06:35	05:51	05:19	05:11	05:28	05:54	06:21	06:04	07:20	07:44	07:40
日沒	18:15	18:45	19:12	19:19	19:57	19:48	19:15	18:29	17:44	17:17	17:20	17:42

[24절기의 특성]

(1) 입춘(立春)

양력 2월 4일 무렵으로 입춘부터 봄이 시작되고 한 해가 시작된다. 사주는 입춘을 기준으로 한 해의 干支를 정하므로 매우 중요한 시점이다. 입춘 때에는 만물이 생기를 얻어 소생하는 시기이므로, 예로부터 사람을 죽이는 전쟁은 물론이고, 신에게 제사를 지낼 때에도 생명을 잉태하고 생산하는 암컷은 쓰지 않았으며, 특히 새끼 밴 짐승이나 갓난 생물까지도 죽이기를 꺼려 했다. 이는 만물을 생겨나게 하는 봄의 기운인 인(仁)을 해치면 자연의 순행을 방해하는 것과 같아 천재지변의 재앙을 받거나 자신의 건강을 해친다고 믿었기 때문이다.

세시풍속(歲時風俗)으로는 '입춘대길(立春大吉)', '소문만복래(笑門萬福來)' 등과 같은 춘축(春祝)이라 불리는 입춘시(立春詩)를 써서 대문이나 벽에 붙였다. 또한 입춘 일의 날씨나 일진(日辰)을 통해서 그 해의 길흉을 점치기도 하였는데 일진이 甲이나 乙이면 풍년이 들고, 丙이나 丁이면 날씨가 무덥거나 가물고, 戊나 己에 해당하면 곡식에 피해가 많고, 庚이나 辛이면 사회가 시끄럽거나 소요가 일어나고, 壬이나 癸이면 홍수나 폭설 사태가 일어난다고 한다.

일례로 2000년 庚辰年은 입춘 일의 일진이 임진(壬辰) 일이었는데, 실로 전국에 수십 년만의 기록적인 폭설이 내렸다. 한편으로 입춘일의 날씨가 청명하면 풍년이 드는데, 보슬비가 내리면 그 해 겨울에는 폭설이 쌓이고 동풍이 불면 사회가 안정되고 태평하지만, 서풍이 불면 태풍의 피해가 있거나 나라가 시끄럽고 남풍이 불면 무덥거나 가물고, 북풍이 불면 장마가 진다고 점을 치기도 했다.

(2) 우수(雨水)

우수에는 눈과 얼음이 녹아내리고, 하늘에서는 비가 내리게 되는 시기로 寅月의 중기(中氣)를 말한다. 이때부터는 천지에 있는 음양의 기운이 만물을 소생시키고 길러주는 활동을 더욱 활발하게 하여, 초목은 비를 맞고 윤택하게 생장한다.

(3) 경칩(驚蟄)

다른 말로 계칩(啓蟄)이라고도 하는데, 계(啓)는 '열린다'는 뜻이고, 칩(蟄)은 벌레가 움츠리는 모습을 말하는 것으로서, 겨울잠을 자고 있던 벌레들이 지하 세계의 문이 열리니 지상으로 기어 나오기 시작하는 시기를 말한다. 흔히 개구리가 나온다는 날로 명명(命名)되어 있다. 이때는 식물들의 어린 새싹들도 땅 밖으로 나오기 시작하니 잘 보호해야 하고, 어린 동물들도 잘 보살펴야 하는 때이다.

(4) 춘분(春分)

춘분은 봄의 한가운데로서 봄이 앞뒤 둘로 나누어지는 분기점이라는 뜻이다. 낮과 밤의 길이가 같은 날로서 이날부터 일조시간에 해당하는 낮이 길어지기 시작한다. 한 편으로는 입춘(立春)부터 춘분(春分)까지를 태양상의 봄이라고 한다면 춘분부터는 기온 상의 봄이라 말할 수 있다. 강남 갔던 제비가 돌아오고 양기의 발동으로 우뢰가 울고 번개가 치기 시작하니, 만물이 생동하는 시기가 되어 우리가 실제로 보고 피부로 체감할 수 있는 봄이다. 특히 춘분에는 낮과 밤의 길이가 일치하여 양의 기운과 음의 기운이 균형을 이루므로, 도량(度量)을 통일해 쓰도록 조절하고 저울눈을 고르게 하거나, 아들을 낳게 해달라는 뜻으로 임신부에게 술을 주어 마시게 하고, 화살을 건네주는 의식을 행하는 세시풍속이 있었다.

(5) 청명(淸明)

청명은 마지막 달이라는 뜻에서 계춘(季春)이라고도 하는데, 하늘과 땅이 산뜻하게 맑고 밝은 대로 만물에 생기가 왕성해지는 시기이다. 초목의 싹이 모두 눈을 틔우고 겨우내 칩거(蟄居)했던 동물이나 땅속의 벌레들이 나오며 무지개가 나타나기 시작하는 계절이다.

(6) 곡우(穀雨)

곡우 무렵은 볕이 제법 따뜻해지고 모든 곡식을 자라게 하는 이슬과 비가 자주 내린다는 시기로, 흔히 말하는 봄비가 내리는 시기이다.

(7) 입하(立夏)

고대 중국에 하(夏)라는 국가가 있었는데 그 이름에 해당하는 하(夏)자의 기원은 사람이 옷을 입고 머리에 관을 쓴다는 뜻으로 문명의 시작을 나타내는 것이었다. 이를 자연에 비유하면 나무에 잎이 돋아나 성장하고, 땅에는 풀이 덮인다는 뜻으로 풀이한다. 즉 이때는 만물이 무성하게 자랄 때이므로 모든 동식물이 제대로 자랄 수 있도록 보호하며 해치지 말아야 한다. 한편으로 입하(立夏)는 태양상의 여름이긴 하나 실제 기온 상으로는 봄과 같아서 덥지도 않고 춥지도 않아 이때가 비로소 인간이 살기에 가장 쾌적한 기후를 이루는 좋은 계절이다. 또한 입하 일에 동풍이 불면 대풍이 들고 나라가 편안하며, 남풍이 불면 가물거나 곡식이 흉작이고, 하늘이 맑아도 크게 가물거나 병이 많다고, 한다. 서풍이 불면 축산(畜産)에 해가 많고 북풍이 불면 수산(水産)이 풍작이라 했다.

(8) 소만(小滿)

소만은 농경문화의 시절로 보면, 보리 이삭이 패기 시작하여 조금

만족할 수 있다는 시기로 양기가 왕성하여 초목이 높고 크게 자라는 때이다. 이때에는 감정이 격동하거나 피로가 누적되어 심장과 소장이 제대로 활동하지 못하여 기혈이 허약해지고, 아울러 찬 기운의 해를 입으면 심장의 피가 응어리져서 기혈이 맺히고 뭉쳐 어깨와 등에 통증이 생기거나, 소장에 영향을 주어 소화하고 흡수하는 기능을 떨어뜨리므로 항상 무리하지 않도록 주의해야 한다.

(9) 망종(芒種)

망(芒)이란 보리나 밀 등의 까끄라기를 말하고, 종(種)이란 볏모를 가리키는 말로, 보리는 다 익어서 먹게 되고, 벼는 자라서 모를 심는 시기가 되었음을 말한다. 한편 망종 일의 일주일 지난 후부터는 장마철로 접어들고, 곰팡이가 피기 시작하는 계절이며, 태양이 북회귀선에 아주 가까워져서 수분의 증발이 왕성하여 건조해진다.

(10) 하지(夏至)

낮 시간이 가장 긴 날로서 매미가 울기 시작하는 기온 상의 여름이다. 선인(先人)들은 이때가 되면 양기(陽氣)가 극도로 성해져 음양의 두 기운이 사생결단(死生決斷)하는 때이므로 경건한 마음으로 음기(陰氣)에 의해 몸이 마르지 않도록 기호(嗜好)와 욕망(慾望)을 최대한 절제하여 심신을 안정시켰다. 특히 하지 일에는 경솔

하게 돌아다니지도 않고 화를 내는 것도 금지했으며, 음식은 물론 남녀 간의 동침하는 일도 삼갔다.

(11) 소서(小暑)

여름의 끝 달이라 하여 계하(季夏)라고도 하는데, 하지를 기점으로 습기가 없어지기 시작하고, 무더운 여름이 시작된다. 소서 때에는 땅속에서 냉기가 올라오기 시작하는 때이나 지상에는 아직 열기가 극성하여 한기와 열기가 서로 섞이는 때이다. 즉, 여름과 가을이 교체되는 달로 오행상으로 토(土)에 해당한다.

(12) 대서(大暑)

대단한 더위를 뜻하는 말로 매우 무더운 시기이다. 대서 때에는 음의 기운이 점점 자라고 양의 가운은 점점 사그라지는데, 썩은 풀에서는 반딧불이 생기고, 가끔은 큰비가 내리는 계절이다. 대서 때에는 음의 기운이 점점 강해지고 양의 기운은 점점 사그라지며 약해지는 때이므로 비장(脾臟)이 음 기운을 받아 홀로 강성해진다. 따라서 이때에는 기름지고 단 음식을 피하고 짠 음식을 먹어서 약해진 신장(腎臟)을 보호하는 것이 건강을 위해서 좋다.

(13) 입추(立秋)

입추는 양력으로 8월 8일경이며 음력 7월의 절기이다. 음력 7월은 가을의 첫 달이라 하여 맹추(孟秋)라고도 부르는데, 추(秋)는 곡식을 수확한다는 뜻이다. 이 무렵은 태양상의 가을로 기온 상으로는 가장 무더운 여름이다. 그렇지만 이날을 기점으로 한낮의 더위는 아침저녁으로 물러나기 시작한다. 입추 때에 우리 선조들은 금기를 받아들인다는 뜻에서 흰색으로 된 옷과 치장을 하고 개고기와 참깨를 함께 먹어 양생(養生)을 도왔으며, 금 기운이 발생하여 숙살(肅殺)의 기운이 강해지는 때이므로 상벌(賞罰)을 엄정하게 구분하여 충의(忠義)를 엄정하게 가르쳤다.

(14) 처서(處暑)

더위가 머물러 있다는 뜻이 되나 이때부터 더위와 추위가 교체되어 더위는 점점 사라지고 가을의 선선한 바람이 불기 시작하는 시절이다. 처서 때에는 천지가 金의 기운을 띠며 쓸쓸해지기 시작하여 벼를 비롯한 곡식이 익기 시작하며 숙살(肅殺)의 기운이 돌므로 옛날의 조정(朝廷)에서는 이때 벌(罰)을 주고 죽이는 일을 시행했다고 한다.

(15) 백로(白露)

하얀 이슬이 생기는 시절이라는 뜻이다. 가을의 중간이라는 뜻으로 중추(中秋)라고도 한다. 이때부터 빠르고 센 바람이 불어오고 기러기가 날아오며, 제비가 강남으로 돌아가고, 뭇 새들이 먹이를 저장하는 시절이라고 한다.

(16) 추분(秋分)

낮과 밤의 길이가 똑같은 날로 낮은 줄고 밤은 길어지기 시작한다. 춘분 때와 같이 태양은 정동 쪽에서 떠올라 정서 쪽으로 진다. 추분 때부터는 차츰 음기가 왕성해져서 쌀쌀한 기운이 들고, 양기는 날로 쇠약해져서 물이 마르기 시작하는 때이다. 땅속에서 겨울잠을 자는 벌레들은 서서히 흙으로 입구를 막기 시작하여 동면(冬眠)을 준비한다.

(17) 한로(寒露)

가을의 끝이라는 뜻으로 계추(季秋)라고도 하는데, 찬 이슬이 내린다는 시기이다. 농촌에서는 곡식을 모두 거두어들이는 계절로 국화가 노랗게 피고 북으로부터 내려온 기러기가 모이는 때이다.

(18) 상강(霜降)

가을의 수렴하는 기운이 마무리되는 시점으로 서리가 내리는 시기이다. 상강 때에는 하늘이 점점 차가워져서 서리가 내리기 시작하고 소슬하던 바람이 메워지나 초목이 누렇게 변하고, 벌레들도 모두 땅속으로 들어가 입구를 막는 시절이다. 이때에는 사람들도 폐(肺)의 숨구멍을 잘 다스리고 체온을 잘 유지해 풍사의 침범으로부터 몸을 보호해야 한다.

(19) 입동(立冬)

입동은 양력으로 11월 7일경이고 해(亥)월의 절기이다. 겨울의 처음이라는 뜻에서 맹동(孟冬)이라고도 하는데, 동(冬)자는 수확물을 매단 모양을 본뜬 글자입니다. 그리고 고드름을 상형(象形)한 글자이기도 하다. 그렇지만 이때에는 태양상의 겨울을 뜻함이지 기온은 아직 가을에 머물러 있으므로 겨울을 준비한다는 시기이니 지난 시절의 충실함을 판단하는 때이기도 하다. 이때부터 물과 땅이 얼기 시작하니 만물은 겨울 준비를 끝내는 시절인데, 사람들도 겨울의 수기(水氣)를 맞이하기 위해서 모든 복장의 색깔을 검은색으로 바꾸며 추위를 막는 모피 옷을 입기 시작한다.

(20) 소설(小雪)

양의 기운이 점차 사라지고 음의 기운은 더욱 성해져서 하늘에서 처음으로 적은 눈이 오고 땅은 점차 얼어 가는 시기를 말한다. 이때에는 천기(天氣)는 상승(上昇)하고 지기(地氣)는 하강(下降)하여 서로 사귀지 않아 막히는 시절이므로, 사람의 장기 중에서는 신장과 방광을 잘 단련하여 정기(精氣)를 잘 간직해야 한다.

(21) 대설(大雪)

겨울의 중간이라는 뜻으로 중동(中冬)이라고도 하는데 큰 눈이 내리는 시기로 초목이 지하에서 잠을 자고 냉혈동물도 이미 겨울잠을 시작하는 때이다.

(22) 동지(冬至)

1년 중 해가 가장 짧고 밤이 가장 긴 날인 동지는 음기가 극도로 성한 때이지만 양기가 시작되어 서서히 고개를 드는 때로 이날부터 일조시간이 하루에 2분씩 늘어난다. 음기에 밀렸던 양의 기운이 서서히 힘을 발휘하기 시작하여 음양이 서로 다투는 까닭에 만물의 내부에서 생명의 힘이 움직이기 시작하는 때로 과거부터 현재에 이르기까지 명절(名節)로 맞이하고 있다. 따라서 이때에는 막 자라기 시작하는 양의 기운을 돌보기 위해 목욕재계(沐浴齋戒)하고 몸을 근신하여 색욕(色慾) 등 감정을 자극하는 일을 함부로 하지 않았다.

(23) 소한(小寒)

추위의 시작을 말하는데, 겨울의 끝이라는 뜻해서 계동(季冬)이라고도 한다. 이때에는 농사짓는 사람들은 내년의 1년 농사 일정을 짜며 농기구를 정비하거나 곡식의 종자를 좋은 것으로 고르며 봄을 기다리는 시절이다.

(24) 대한(大寒)

24절기의 마지막으로 추위가 가장 큰 때를 말한다.

위와 같이 지구에는 춥고 더운 기후가 순환하여 반복하는데, 이런 자연변화를 감지하여 계절을 세분화하여 구분 지은 것이 절기력(節氣曆)이다. 기후의 변화는 갑자기 일어나는 현상이 아니라 조금씩 변화한다. 일년이 365일이고 24절기로 나누면 15일이 하나의 절기이다. 하나의 절기를 삼등분하면 5일이 된다. 즉 일년(一年)은 사계절(四季節)이고 24절기(節氣)이며 72후(候)로 나누어진다.

QR코드 동영상 강의

월초보사주학 10강

11강

사주팔자

구성 배열

11강. 사주팔자(四柱八字) 구성 및 배열법은 무엇인가?

2021년 양력 3월 31일 오후 5시에 태어난 남자의 경우 사주를 세우면 다음과 같다.

時　日　月　年

庚　戊　辛　辛

申　寅　卯　丑 (乾)

71 61 51 41 31 21 11 1

己　戊　丁　丙　乙　甲　癸　壬　大

亥　戌　酉　申　未　午　巳　辰　運

사주명식(四柱命式)의 기록은 하늘(天)을 따르는 학문이기 때문에 기록하는 사람은 우(右)에서 좌(左)로 적는다. 왜냐하면 하늘에서 보면 좌선이기 때문이다. 앞에서도 잠깐 설명했듯이 年月日時 네 기둥을 사주(四柱)라 하고 글자 수가 8자이므로 팔자(八字)라고 한다. 년의 기둥을 년주(年柱). 월의 기둥을 월주(월柱). 일의 기둥을 일주(日柱). 시의 기둥을 시주(時柱)라고 한다. 이렇게 세워진 것이 사주팔자(四柱八字)이고. 이 사주팔자를 명(命)이라고 한다. 숫자를 기록한 것은 10년 단위로 바뀌는 당사자의 대운(大運)이 들어오는 나이를 기록해 놓은 것이다. 이 대운과 명을 합쳐서 운명

(運命)이라고 한다. 이 명과 운을 보고서 그 사람의 운명을 추론할 수 있다.

우선 사주를 정하기 위해서는 먼저 만세력이라는 책이 필요하다. 만세력이라는 책은 달력의 날짜에 따른 간지(干支)의 조합인 육십갑자(六十甲子)를 나타낸 책으로 누구든지 생년월일시만 알면 만세력으로 사주를 찾아낼 수 있다. 이 만세력을 보고 사주를 정하는 데 있어서 적용되는 규칙들이 있는데 사주를 음력 날짜를 기준으로 하여 정하는 것으로 잘못 아는 경우가 있는데 사주는 음력이나 양력을 가리지 않는다. 오히려 절기의 변화라든가 계절의 순행과정은 양력이 음력보다 더 정확하다고 할 수 있지만 사주는 양력이든 음력이든 달력의 날짜와는 무관하게 계절이 변화하는 시점을 기준으로 하여 정하게 되는 것이다. 그러면 년주(年柱), 월주(月柱), 일주(日柱), 시주(時柱)를 정하는 데 필요한 규칙들을 차례로 알아보도록 하겠다.

1. 년주(年柱)를 정하는 법

일반적일 때 일 년의 기준인 세수(歲首:새해 첫날)는 양력 1월 1일. 음력 1월 1일을 기준으로 한다. 그러나 사주학에서는 음력 1월 1일을 한해의 시작점이다. 달력에서는 매년 1월 1일을 기준으로 하여 한 해가 바뀌지만 사주학에서 일컫는 일 년의 시작점은 달력의 양력이나 음력의 정월 초하루를 기준으로 하여 일 년의 시작을 정하는 것이 아니라 寅월의 절기인 입춘일(立春日)을 기준하여 새로운 한 해가 시작되는 것으로 정한다. 그러므로 일년의 시작은 입춘일이 되는데 이는 달력 날짜에서 대략 양력으로 2월 4일경이 된다.

예를 들어 2021년도의 입춘일이 양력 2월 3일 23시 58분이니까 2021년 양력 2월 3일 23시 58분 이전에 태어난 사람의 경우에 달력상으로 보면 2021년도의 태생으로 보지만 사주학에서는 아직 입춘이 되지 않았으므로 새해가 되지 않는 것으로 보게 된다. 따라서 이 사람의 생년은 2021년이 되는 것이 아니라 2020년으로 하여 년주를 정하게 된다는 것이다.

또다시 예를 들면 2020년 2월 5일에 태어난 사람은 양력 2월 4일 입춘일이 지나서 태어났으므로 2020년도의 간지인 경자(庚子)년 쥐띠 해를 적용하지만 2020년 2월 3일에 태어난 사람은 입춘전이므로 2019년도의 간지인 기해(己亥)년 돼지띠 해를 적용한다는 말이 된다.

또 한 가지 염두에 둘 것은 입춘은 시각으로도 따지는데 만세력에 보면 입춘이 들어오는 시각이 적혀 있다. 만일 날짜는 비록 입춘일에 태어났다고 하더라도 시간상으로 아직 입춘이 들지 않았다면 이 사람의 사주도 역시 전년도의 간지로 정해야 한다는 것이다. 그러나 이 경우에 일주(日柱)는 그대로 입춘 당일의 간지(干支)로

정하게 된다. 사주는 이처럼 시간까지도 따져서 정확하게 세워야
타고난 기운을 제대로 알 수 있다

[24 절기표]

月	節	날짜	日出	日沒	氣	날짜	日出	日沒
寅月	立春	2/04	07:34	17:59	雨水	2/19	07:17	18:15
卯月	驚蟄	3/06	06:57	18:30	春分	3/21	06:35	18:45
辰月	淸明	4/05	06:13	18:58	穀雨	4/20	05:51	19:12
巳月	立夏	5/06	05:32	19:27	小滿	5/21	05:19	19:19
午月	芒種	6/06	05:11	19:50	夏至	6/21	05:11	19:57
未月	小暑	7/07	05:17	19:56	大暑	7/22	05:28	19:48
申月	立秋	8/08	05:41	19:34	處暑	8/23	05:54	19:15
酉月	白露	9/08	06:08	18:51	秋分	9/23	06:21	18:29
月戌	寒露	10/08	06:34	18:04	霜降	10/23	06:04	17:44
亥月	立冬	11/07	07:04	17:30	小雪	11/22	07:20	17:17
子月	大雪	12/07	07:33	17:13	冬至	12/22	07:44	17:20
丑月	小寒	1/05	07:47	17:28	大寒	1/20	07:40	17:42

2. 월주(月柱)를 정하는 법

월주(月柱)를 다른 말로는 월건(月建)이라 하는데 이것 역시 24절
기인 입춘(立春)을 기준으로 1년이 시작되듯이 월도 마찬가지로
절기(節氣)를 기준으로 정한다. 24절기는 다시 말하면 1월에 해당
하는 인월(寅月)의 경우 입춘(立春)과 우수(雨水)가 있는데 먼저
월초에 들어오는 입춘(立春)을 절(節)이라고 하고 그로부터 15일

월건 조견표	甲己年	乙庚年	丙辛年	丁壬年	戊癸年
1月 입춘후-경칩전	丙寅	戊寅	庚寅	壬寅	甲寅
2月 경칩후-청명전	丁卯	己卯	辛卯	癸卯	乙卯
3月 청명후-입하전	戊辰	庚辰	壬辰	甲辰	丙辰
4月 입하후-망종전	己巳	辛巳	癸巳	乙巳	丁巳
5月 망종후-소서전	庚午	壬午	甲午	丙午	戊午
6月 소서후-입추전	辛未	癸未	乙未	丁未	己未
7月 입추후-백로전	壬申	甲申	丙申	戊申	庚申
8月 백로후-한로전	癸酉	乙酉	丁酉	己酉	辛酉
9月 한로후-입동전	甲戌	丙戌	戊戌	庚戌	壬戌
10月 입동후-대설전	乙亥	丁亥	己亥	辛亥	癸亥
11月 대설후-소한전	丙子	戊子	庚子	壬子	甲子
12月 소한후-입춘전	丁丑	己丑	辛丑	癸丑	乙丑

후에 들어오는 우수(雨水)를 기(氣)라고 하여 합쳐서 절기(節氣)라고 한다. 그런데 월의 초일(初日)을 정하는 기준은 월초(月初)에

들어오는 절(節)이 된다. 따라서 寅월의 경우에는 입춘이 월의 초일이 되고 이날을 다른 말로 절이 들어오는 날이라고 하여 절입(節入)일이라고 한다. 그러니까 월이 바뀌는 기준은 달력상의 1일이 아니라 절입(節入)일이 된다는 것이다. 따라서 2월 4일이 입춘이라면 2월 3일에 태어난 사람은 寅월로 보는 것이 아니라 앞 달의 丑월로 보게 되어 丑월의 월건(月建)을 쓴다는 것이다.

2월 4일 이후에 태어난 사람부터 寅월에 태어난 것으로 본다는 것이다. 이것은 태어난 달의 크고 작음이나 윤달 등에 관계없이 적용되는데 다만 이 또한 절입시각까지 따져서 정해야 된다는 것은 년주를 정하는 방법과 마찬가지다. 이때에도 일주만은 시간에 상관없이 태어난 당일의 일주(日柱)를 그냥 그대로 정하면 된다.

地支가 子부터 시작하지만, 정월(正月)은 木의 계절이므로 寅을 正月로 정하고 卯를 2월...丑을 12월로 정한다. 60干支를 매월에 순차적으로 배당되고 12달이므로 월건(月建)은 5년 주기로 반복된다. 월건을 정하는 방법은 월지는 어느 해를 막론하고 正月은 寅月이 되므로 쉽게 알 수 있고 月干은 위 조견표의 공식에 따라 정해진다.

3. 일주(日柱)를 정하는 법

일주는 만세력에 나와 있는 태어난 날을 보고 그대로 기록하면 되는데 하루의 시작이 지금은 0시부터 시작이지만 사주학에서는 子時를 하루의 시작으로 판단한다. 그래서 23시인 밤 11시부터 이미 하루가 시작된다고 보면 된다. 子時에 대해 논란의 여지가 많이 있지만 대부분 子時를 하루 시작 시각으로 판단한다.

그런데 우리나라의 표준시간은 현재 일본의 시간을 따르고 있으므로 우리나라 표준시는 서울을 기준으로 하면 일본보다 실제로는 32분이 앞서가게 되므로 32분을 앞당겨서 판단하면 된다. 즉, 하루의 시작인 子時는 서울을 기준으로 23시 32분에 시작되므로 판단을 그렇게 하면 된다.

4. 시주(時柱)를 정하는 법

시주는 만세력의 뒤쪽에 따로 시간지(時干支) 조견표(早見表)라는 표가 만들어져 있다. 여기에 보면 일간에 따라 태어난 시간에 맞춰 시주(時柱)를 정하는 방법이 나타나 있습니다. 이 표를 보고 그대로 찾아서 정하면 된다. 참고로 만세력에 나와 있는 시간지 조견표를 여기에 옮겨보면 다음과 같다.

時干支 早見表

地支	時間	甲己日	乙庚日	丙辛日	丁壬日	戊癸日
子	오후 11:32~오전 01:32	甲子	丙子	戊子	庚子	壬子
丑	오전 01:32~오전 03:32	乙丑	丁丑	己丑	辛丑	癸丑
寅	오전 03:32~오전 05:32	丙寅	戊寅	庚寅	壬寅	甲寅
卯	오전 05:32~오전 07:32	丁卯	己卯	辛卯	癸卯	乙卯
辰	오전 07:32~오전 09:32	戊辰	庚辰	壬辰	甲辰	丙辰
巳	오전 09:32~오전 11:32	己巳	辛巳	癸巳	乙巳	丁巳
午	오전 11:32~오후 01:32	庚午	壬午	甲午	丙午	戊午
未	오후 01:32~오후 03:32	辛未	癸未	乙未	丁未	己未
申	오후 03:32~오후 05:32	壬申	甲申	丙申	戊申	庚申
酉	오후 05:32~오후 07:32	癸酉	乙酉	丁酉	己酉	辛酉
戌	오후 07:32~오후 09:32	甲戌	丙戌	戊戌	庚戌	壬戌
亥	오후 09:32~오후 11:32	乙亥	丁亥	己亥	辛亥	癸亥

위의 표를 보는 방법은 일간과 태어난 시간을 가지고 찾아서 정하게 된다. 예를 들어 어떤 사주의 일간이 甲이고 태어난 시간이 오후 4시라면 오후 4시는 申시에 해당하므로 표의 윗 줄에서 일간(日干) 甲이 있는 자리를 찾고 그 줄의 밑으로 쭉 내려와서 申시에 해당하는 간지(干支)를 찾으면 壬申이라는 글자가 있다. 이것이 바로 시주(時柱)가 되는 것이다. 일간의 자리에 보니 甲과 己가 함께 있다. 이 뜻은 甲일에 태어난 사람과 己일에 태어난 사람은 시주(時柱)를 같이 쓴다는 것이다.

상기 표는 서울의 정오 시간을, 12:32분을 기준으로 했으며 참고로 부산 12:23. 인천 12:33. 광주 12:32. 춘천 12:29. 강릉 12:24.

포항 12:22. 대구 12:35. 대전 12:30. 전주 12:31. 제주 12:33. 목포 12:34. 경주 12:23을 기준으로 판단한다. 즉. 자신이 태어난 곳을 기준으로 시간을 판단하면 된다.

☞ 야자시(夜子時) 조자시(朝子時)와 해자난분설(亥子難分說)

시주(時柱)를 정하는 방법에는 여러 가지 복잡한 내용들이 있다. 그에 따라 학자마다 해설의 기준도 다르고 또 사주를 보는 사람에 따라서 시주(時柱)를 정하는 기준이 약간 다르기도 하다. 시(時)를 정하는 것이 복잡한 데에는 그만한 이유가 있다.

야자시(夜子時) 조자시(朝子時) 이론이란 子時를 두 가지로 구분해야 한다는 이론이고 해자난분설(亥子難分說)이란 그럴 수 없다는 이론이다. 먼저 야자시(夜子時)란 말을 글자 그대로 풀어보면 밤의 자시(子時)란 뜻이 되는데 이 말은 자시(子時) 중에서도 밤에 해당하는 자시(子時)란 뜻이 된다. 또 조자시(朝子時:명자시(明子時))란 말을 글자 그대로 풀어보면 아침의 자시(子時)란 뜻이 되는데, 子時면 그냥 子時지 무슨 밤의 자시(子時)가 있고 아침의 자시(子時)가 있느냐고 의아해하지만, 그 이유는 다음과 같다.

옛날에는 하루를 12 시진(時辰)으로 나누어 사용하였다. 그러나 지금은 하루를 24시간으로 나누어 사용하고 있으므로 옛날에 말한 자시는 하루 중에서 자정 즉, 밤 12시를 전후하여, 한 시간 앞에서부터 한 시간 뒤까지인 밤 11시부터 새벽 1시까지를 뜻하는 것이었다. 문제는 바로 여기서 생겨난다.

옛날에 12 시진으로 하루를 나누던 시절에는 하루가 시작되는 시점을 자시(子時)로 하였다. 그래서 자시가 되면 하루가 바뀌었다고 본 것이다. 요즈음 시간으로 보면 밤 11시가 되면 자시가 되므로 밤 11시를 하루가 바뀌는 시점으로 보았다는 것이다. 그런데 하루를 24시간으로 정하고 있는 지금은 하루가 바뀌는 시간은 밤 12시 자정부터이다. 따라서 날짜를 정함에 있어 옛날의 방식과 지금의 방식에는 한 시간의 차이가 나게 되는 것이다.

이것은 子時에 태어난 사람의 사주에서 일진(日辰)을 무엇으로 잡아야 하느냐는 문제를 낳게 된다. 예를 들어 어떤 사람이 밤 11시 40분경에 태어났다면, 시간은 분명 자시(子時)임이 틀림이 없다. 그러나 일진을 정하고자 할 경우 옛날 이론에 의하면 자시가 되어 이미 하루가 바뀌었으므로 다음 날의 일진을 적용해야 될 것이다. 그러나 요즈음의 시간으로 본다면 12시가 아직 되지 않았으므로 일진은 당일의 일진을 써야 한다는 것이다. 일간은 자신(나)이라고 할 만큼 사주에서 대단히 중요한 글자이다. 날짜 하루의 차이는 일간을 완전히 다른 글자로 만들게 되는 중대한 사안이 아닐 수 없다. 여기서 두 갈래의 학설이 나뉘어져 있다.

하나는 그냥 옛날의 이론대로 子時가 되면 즉, 밤 11시가 되면 하루가 바뀌었다고 본다는 학설이다. 이 이론이 주장하는 근거는 애초에 사주 해석의 근본을 정할 때 子時가 되면 새로운 음양의 기운이 들어와서 이미 하루가 시작되었다고 보았으므로 요즈음의 24시간 제도를 무시하고 12 시진에 맞춰 일진을 정하는 것이 사주 해석의 올바른 방법이라는 것이다. 이 이론은 고 박재완 선생께서 주장한 이론으로 해자난분설(亥子難分說)이라고 한다. 즉 亥시와 子시는 나누어질 수 없으므로 子시가 되면 새로운 일진(日辰)으로 써야 한다는 뜻이다.

또 하나의 학설은 밤 12시 즉 자정이 지나야 하루가 바뀌니 밤 12시를 기준으로 하여 11시부터 12시까지는 시(時)는 자시(子時)이므로 자시를 그냥 쓰되 일진(日辰)은 아직 하루가 바뀌지 않았으므로 그날의 일진을 쓰고, 밤 12시부터 새벽 1시까지는 자정(子正)을 넘어 하루가 바뀌었으므로 시는 자시를 쓰되 일진은 새로운 날(다음날)의 일진을 써야 한다는 바로 위에서 언급한 조자시(朝子時)와 야자시(夜子時)의 구분학설이다.

지구의 자전운동에 의하여 밤이 깊어 갈수록 지구의 반대편과 태양과의 거리는 멀어져 가고 자정이 지나면서 비로소 다시 가까워

진다고 봐야 하므로 하루가 바뀌는 시점은 지구의 반대편이 태양에서 가장 멀어진 지점을 통과할 때로 보아야 한다는 것이다. 이 지점을 지나야 비로소 음양의 새로운 기운이 들어온다고 보며 아직 극점에 이르지 않은 밤 11시부터 12시 사이에는 하루가 바뀌었다고 보면 안 된다는 것이다.

☞ 진시설(眞時說)

진시설(眞時說)은 시간을 정하는 기준은 지구의 공전과 자전의 관계에서 일어나는 자연현상의 법칙에 따라 정 해야 한다는 이론이다. 현재 우리가 일반적으로 사용하고 있는 시간의 기준은 사람이 생활하기에 편리하도록 표준시간을 정해서 쓰고 있다. 우리나라의 경우 표준시간은 동경 135도 11분에 위치한 일본 도쿄 明石 천문대 시간을 기준으로 정하고 있다. 그런데 사주에서 말하는 시간이란 지구의 공전과 자전의 관계에서 일어나는 실제적이고 현실적인 변화에 맞추어 우주의 기운을 정하는 것이므로 인위적으로 정해놓은 표준시간은 지역에 따라 천체의 운행 기운과 약간 차이가 난다는 것이다.

우리나라의 서울은 동경 126도 59분입니다. 따라서 서울과 도쿄의 경도 차이는 8도 11분 59초가 나므로 실제 시간의 차이는 약 32분 47초 정도가 있게 되는 것이다. 따라서 사주에서 천체 운행의 기운에 맞추어 시간을 정한다면 현재 표준시간에서 약 30분 정도를 늦추어야 한다는 것이다. 이 이론이 지역에 따라서 시간을 조정하여 적용해야 한다는 진시설이다. 이렇게 본다면 경도상의 차이를 지역에 따라 모두 따져 보아야 한다는 이야기인데 서울과 부산의 경우도 엄연히 경도가 다르므로 똑같은 시간을 적용하면 안 된다는 결론이 나온다. 시간을 기준으로 할 때 영국 그리니치 천문대 시간을 기준으로 함이 국제적 약속이다. 이때 사용하는 것이 경도이며 우리는 두 가지를 사용하였다.

1. 동경 127도 30분 : 우리나라 중앙(대전)을 기준으로 하여 세로 줄을 그은 줄을 경도라 표시한다.
2. 동경 135도 : 일본 동경을 기준으로 한 것.

참고로 경도는 세로로 표시하고, 위도는 가로로 표시한다. (예:38선은 위도) 여기에 127도 30분과 135도는 시간상 약 30분의 차이가 있는데 127도 30분을 기준으로 했을 경우와 135도를 표준으로 했다면 시간의 오차가 있으니, 시(時)의 적용이 잘못될 소지가 아주 큼이 사실이다.

또한, 서머타임 시기와 겹쳤다면 시간의 오차는 약 1시간 30분의 오차가 나니 사주 감정 시 신중하여야 할 것이다. 특히 일주(日柱)가 바뀌는 구시의 경우는 더더욱 그러하다. 이런 연유로 시(時)의 중요성이 강조된 것인데 덧붙인다면 우리나라 중앙을 표준 자오선으로 했을 경우(동경 127도 30분)도 지역에 따라 편차가 나는데 대전은 중앙에 있어 비슷한 경도상이나 부산은 동쪽, 목포는 서쪽에 있어 차이가 있으므로 時가 애매할 경우 지역의 위치와 특성까지 정확히 판독하여야 할 것이다.

☞ 서머타임(SUMMER TIME, 일광 절약 제)

여름철의 긴 낮에 효율적으로 사용하기 위하여 시곗바늘을 한 시간 앞당겨서 생활하는 방식으로 우리나라에서는 몇 차례에 걸쳐서 시행되었다. 서머타임이 적용되었던 시기를 정리해 놓았으니, 참고로 하시기를 바란다.

[서머타임 적용 기간]

1948년: 5. 31 ~ 9. 12   0시를 1시로 1시간 앞당겨 사용

1949년: 4. 3 ~ 9. 10   0시를 1시로 1시간 앞당겨 사용

1950년: 4. 1 ~ 9. 9   0시를 1시로 1시간 앞당겨 사용

1951년: 5. 6 ~ 9. 8   0시를 1시로 1시간 앞당겨 사용

1954년: 시간변경 3. 21부터 낮 12시 30분을 12시로 조정 사용

1955년: 5. 5 ~ 9. 9   0시를 1시로 1시간 앞당겨 사용

1956년: 5. 20 ~ 9. 30   0시를 1시로 1시간 앞당겨 사용

1957년: 5. 5 ~ 9. 22   0시를 1시로 1시간 앞당겨 사용

1958년: 5. 4 ~ 9. 21   0시를 1시로 1시간 앞당겨 사용

1959년: 5. 3 ~ 9. 20   0시를 1시로 1시간 앞당겨 사용

1960년: 5. 1 ~ 9. 18   0시를 1시로 1시간 앞당겨 사용

1961년: 시간조정 8. 10부터 낮 12시를 12시 30분으로 앞당겨 사용하기 시작하여 현재 우리가 쓰고 있는 시간이 되었음.

1987년: [5. 10 02시 00분 ~ 10. 11 03시 00분] 01시를 02시로 1시간 앞당겨 사용

1988년: [5. 8 02시 00분 ~ 10. 9 03시 00분] 01시를 02시로 1시간 앞당겨 사용

우리나라 표준시의 기준점과 기간

표준시 기준 경선	기간
동경 135도 00분	1910년 8월 30일 ~ 1954년 3월 20일
동경 127도 30분	1954년 3월 21일 ~ 1961년 8월 9일
동경 135도 00분	1961년 8월 10일 ~ 현재

표준시: 1954년 3월 21일부터 1961년 8월 9일까지 동경 127도 30분 적용

상기 표와 같이 우리나라의 표준시의 기준점은 대전지방 정도의 동경 127도 30분을 기준으로 하던 때와 일본과의 중간 지점 정도 되는 동경 135도 00분을 기준으로 한 것이 있다. 현재는 동경 135도 00분을 기준으로 하고 있으니까 135도 00분과 127도 30분과의 차이는 7도 30분이 생긴다. 이것을 시간으로 환산하면 1도는 4분이니까 30분의 차이가 생긴다. 그러므로 우리나라에서의 시의 한계는 원래의 시에 30분(대전기준)을 합해서 정해야 한다.

5. 대운(大運)을 세우는 법

운에는 여러 가지 종류가 있다. 주로 운이 도래하는 시간적인 주기에 따라 나누는데 매일 찾아오는 하루의 운을 일운(日運) 또는 일진(日辰)이라 하고, 한 달에 한 번씩 찾아오는 매월의 운을 월운(月運), 그리고 일 년마다 찾아오는 매년의 운은 년운(年運) 또는 세운(歲運)이라고 한다.

그런데 대운(大運)이라고 하는 것은 우리가 살아가는 동안 10년을 단위로 하여 크게 운이 변하는 주기가 있는데 이렇게 10년에 한 번씩 찾아오는 운을 대운이라고 한다. 흔히 이 대운을 아주 좋은 길운으로 잘못 생각하는 사람도 있는데, 누구나 겪게 되는 10년 단위의 큰 변화를 의미하는 운이기에 대운이라고 하는 것이지 길흉과는 아무런 관계가 없고 대운은 길운일 때도 있고 흉운일 때도 있는 것이다.

다른 운들이 시간적인 개념인데 비해 대운은 사주가 놓이게 되는 공간적인 개념이라 보면 정확하다. 따라서 살아가면서 만나게 되는 모든 운은 대운이라는 커다란 공간 속에서 흐르게 되는 것이므로 대운의 작용은 사주에서 매우 중요하다고 할 것이다.

대운은 사주에서 월주(月柱 또는 月建)를 기준으로 하여 정하게 됩니다. 즉 태어난 월의 간지(干支)인 월주를 시작으로 하여 육십갑자의 순서대로 대운이 흐르게 되는데 여기서 사주의 종류에 따라 육십갑자의 순서에 순행하는 경우가 있고 역행하는 경우가 있다. 甲子, 乙丑, 丙寅, 丁卯, 戊辰, 己巳, 庚午, 辛未, 壬申... 등으로 미래를 향해 순서대로 진행해 나가는 것을 순행이라고 하고 반대로 壬申, 辛未, 庚午, 己巳, 戊辰, 丁卯, 丙寅, 乙丑, 甲子, 癸亥, 壬戌, 辛酉... 등으로 과거를 향해 거꾸로 나가는 것을 역행이라고 한다.

이렇게 순행하는 것과 역행하는 것은 사주에서 태어난 해의 년주에 있는 천간(년간)의 음양(陰陽)으로 판단한다. 즉 년주의 천간이 陽인 甲丙戊庚壬이면 陽의 해 즉 양년이라고 하며, 이때 태어난 사주가 남자이면 양남(陽男), 여자이면 양녀(陽女)라고 한다. 또 태어난 해의 천간이 陰인 乙丁己辛癸이면 陰의 해 즉 음년이라고 하며, 이때 태어난 사주가 남자는 음남(陰男), 여자는 음녀(陰女)라고 한다.

陽男과 陰女의 경우는 육십갑자의 진행 방향이 미래 절로 순행(順行)하고, 陰男과 陽女는 과거 절로 역행(逆行)한다. 따라서 대운을 정할 때는 陽男陰女는 월주(月柱)에서부터 시작하여 미래에 돌아오는 월건(月建)이 대운의 흐름에 해당하며 陰男陽女는 지나온 월건(月建)이 대운의 흐름이 된다.

陽男陰女는 미래절(順運)
年干이 陽이고 남자면 월주에서 순행
年干이 陰이고 여자면 월주에서 순행
陰男陽女는 과거절(逆運)
年干이 陰이고 남자면 월주에서 역행
年干이 陽이고 여자면 월주에서 역행

대운을 정하고 나면 대운 수를 산출해야 하는데 대운 수라는 것은 정해진 대운의 기운이 들어오는 나이를 나타내는 숫자이다. 행운 세수라고도 하며 대운 수는 생일로부터 절입일까지 계산한 일수를 3으로 나누어 구하는데, 순행하는 命과 역행하는 命의 산출 방법이 다릅니르다. 즉, 양남음녀의 경우에 대운수는 태어난 날로부터 앞으로 다가오는 절입일까지의 날짜를 계산하여 나오는 날의 수를 3으로 나누어 남는 수가 1이면 버리고 2일이 넘으면 반올림해서 1을 더해 준다. (3으로 나누어서 1이 남으면 버리고 2가 남으면 3으로 쳐서 1로 받아들인다. 一捨二入)

예를 들어 날짜와 시간을 헤아려 보니 5일 21시가 된다고 가정하면 3으로 나누면 몫은 1이 되고 나머지가 2일 21시이므로 반올림 해서 하루를 더하면 대운 수는 2가 된다. 또한 음남양녀의 경우에 대운 수는 태어난 날로부터 지나간 과거의 절입일까지의 날짜를 세어서 이를 3으로 나누고 위에서와 마찬가지로 나머지가 1이면 버리고 2일이면 반올림해서 1을 더해 준다. 생일로부터 절기까지의 일수는 만세력에서 찾으면 된다. 사주를 뽑기 위해서는 만세력이 반드시 있어야 하므로 만세력을 준비하시기 바란다.

[참고] 3으로 대운 수를 결정하는 이유

옛날 사람들은 인생 명운(命運)을 120년으로 보았다. 그 이유는 120년에 12支를 배당하여 10년씩 자르면 12支가 다 돌아가기 때문이다. 절기와 절기 사이가 대략 적으로 30일이라고 본다면, 10년은 3,600일이 되고, 3,600일을 축약하면 360일(1년)이 되고, 360일은 360시진(時辰)으로 대입할 수 있다. 옛날 시간 360(12*30) 시진은 30일이므로 10년을 30일로 축약할 수 있다. 이것은 곧 30일을 10년으로 확대한 것과 같으므로 30일 안에서 대운 수를 뽑으면 그것이 곧 10년씩 배당되는 대운 수가 된다. 이 30일 안에서 대운 수를 뽑기 위해 30일을 또 축약하면 3일이 되고 3일을 1로 보면 30일은 10이 되므로 이것이 10년씩 배당되는 대운 수의 원리이다.

6. 만세력를 보고 사주와 대운 뽑는 연습

(예제)

양력 2021년 7월 20일 오후 2시 30분에 출생한 사람의 사주

만세력에서 2021년을 찾아보니 년주는 소띠해인 辛丑로 되어 있다.

다음으로 양력 7월의 월건을 보니 乙未로 되어 있다. 이 때 주의 해야 할 것은 절기(節氣)가 들어온 절입일(節入日)을 찾아보아야 하는데 양력 7월의 절기는 소서(小暑)이다. 그러면 소서(小暑)를 지나야 7월이 되었다고 보아 7월의 월건인 乙未를 월주(月柱)로 삼을 수가 있다. 만세력에 보니 소서의 절입일시는 7월 7일 06:04 분이라고 되어 있다. 이는 양력 7월 7일 06시 04분에 소서가 들어 온다는 뜻이다. 위의 예제에서 우리가 찾는 날짜는 7월 20일인데 그렇다면 이 사람은 소서가 이미 지나서 태어났으므로 7월의 월건 인 乙未를 그대로 월주(月柱)로 쓰면 되는데 월주는 乙未가 된다.

다음으로 일주(日柱)를 보면, 일주는 이것저것 생각할 것 없이 그 냥 해당 날짜에 나와 있는 일진(日辰)을 그대로 쓰면 된다. 7월 20일의 일진은 己巳가 된다. 이제 마지막으로 시주(時柱)를 세우 는 일만 남았다. 시주는 만세력에 보면 [시간지조견표]라는 것이 있다. 여기서 해당하는 시와 일주를 기준으로 정한다. 우선 표의 제일 윗줄에 보면 甲己日, 乙庚日, 丙辛日, 丁壬日, 戊癸日 이렇 게 다섯 칸이 나누어져 있다. 이것은 일주의 일간을 나타내는 것이 다. 예제의 일간(日干) 己이므로 甲己日에 해당하는 칸에서 찾으 면 된다는 뜻이다. 그리고 태어난 시가 오후 2시 30분이므로 이때 는 未時가 됩니다. 乙庚日의 칸에서 밑으로 쭉 내려와서 未時에 해당하는 시진(時辰)을 찾으니 癸未라고 되어 있다. 이것이 시주

(時柱)가 된다. 이렇게 하여 뽑은 사주를 순서대로 세워보면 다음과 같이 나온다.

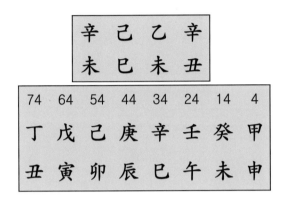

다음은 이 사주의 대운과 대운 수를 산출해 보겠다.

■ 男子인 경우

먼저 대운을 찾아보면 사주의 년주에 년간인 辛이 陰이므로 陰男陽女에 해당하여 역행하게 된다. 따라서 月柱인 乙未로부터 甲午, 癸巳, 壬辰, 辛卯, 庚寅, 己丑, 戊子 순으로 진행하게 된다. 다음으로 대운 수를 찾아보면 이것도 역시 사주가 陰男陽女에 해당하므로 과거절로 역행하면 된다. 따라서 태어난 날인 7월 20일부터 지나온 과거의 절입일인 소서(小暑) 즉, 7월 7일 전까지 일수를 거꾸로 계산한다. 7월 19일부터 7월 7일까지는 13일이 된다. 이를 3으로 나누면 몫이 4가 되고 나머지가 1인데 1은 버리므로 대운수는 4가 된다. 이것을 10년 단위로 차례대로 써 주면 된다. 위의 대운 수를 보는 방법은 태어나서 3세까지는 월주인 乙未 영향을 받고 4세부터 13세까지는 甲申대운의 운에 놓이게 되면 14세부터 23세까지는 癸未대운의 운을 받게 되며 이후로 壬午, 辛巳 등 10년마다 차례대로 대운의 적용을 받게 된다는 뜻이다.

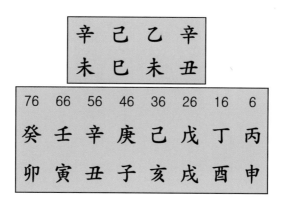

■ 女子인 경우

위 사주가 여자라면 대운과 대운 수를 찾는 방법은 완전히 반대된다. 즉 년간이 陰인 辛이므로 陽男陰女에 해당하여 대운의 진행 방향은 순행한다. 그러므로 월주(月柱) 乙未로부터 丙申, 丁酉, 戊戌, 己亥, 庚子, 辛丑 순으로 순행하여 작성한다. 대운 수를 찾는 것도 역시 태어난 날 7월 21일부터 앞으로 다가오는 미래의 절입일인 立秋 전 즉, 8월 7일 전까지의 일수를 계산한다. 계산해 보니 18이 되며 이것을 3으로 나누면 몫이 6이 되고 나머지는 없어 6

이 대운 수가 된다. 위에서와 마찬가지 방법으로 대운과 대운 수를 세워보면 다음과 같이 된다.

[절입일 날 대운 계산법]

매월의 節入日 날은 대운 숫자가 기재되어 있지 않다. 절입시각 前 출생이면 뒤쪽의 대운 숫자로, 이후 출생이면 앞쪽의 대운 숫자로 하면 된다. 예를 들어 2021년 7월 7일(양력)의 절입 시각은 06시 04분이다. 그러므로 이날 06시 04분 前 출생이면 남자는 10운 여자는 1운, 06시 04분 이후 출생이면 남자는 1운, 여자는 10운 된다. 이하 같은 요령으로 적용하면 된다.

QR코드 동영상 강의

왕초보사주학 11강

왕초보사주학11-2강

[참고사항]

@@@ 여명미래역학 적용 원칙

1. 야자시. 조자시 이론을 쓰지 않는다. 밤 11시 30분이 지나면 다음 날로 정한다. 하루의 시작을 24시가 아니라 子시로 본다.
2. 섬머타임 적용한다.
3. 한 해의 시작을 입춘을 기준으로 본다.
4. 태어난 시간을 모르면 사주로 보지 않고 점술사주상담을 한다.
5. 작명은 발음오행(한글자음)을 훈민정음해례본으로 적용하지 않고 신경준의 운해본을 기준으로 한다.

무엇이 옳고 그름을 따지지 마시길 바란다. 한마디로 답이 없고 다 자기주장으로 논쟁거리가 커져 앞으로 역학을 연구하신 분들의 과제이다. 30년 전에는 일본 동경시 기준으로 인한 30분 오차 적용 문제도 대부분 철학관에서는 30분 적용하지 않았다. 시간에 관한 개념이 통일되지 않고 중구난방으로 다 다르니 사주명리학이 현대화가 될수 있을까 하는 안타까운 마음이 든다. 이와 같은 야자시·조자시의 문제는 역학(易學)의 발전을 더디게 하는 요인이 되는 것이며 역학을 연구하는 학자들의 몫으로 남는 것이다. 나아가 끊임없는 연구와 노력이 따른다면 하나의 완성된 이론(理論)이 나올 것이라 믿어 의심치 않는다.

12강

사주팔자

宮

12강. 사주팔자의 궁(宮)은 무엇인가?

궁(宮)이란 집 또는 자리를 뜻하며, 사주팔자 내에서 모든 육친은 각각 배정된 고정된 자리가 있는데 이것이 궁(宮)이라 한다. 사주팔자의 자리(宮)에 따라 그 의미가 부여되어 있다. 일주의 일간은 자기 자신을 나타내는 자리이다. 일간을 그래서 아신(我身) 즉 내 몸뚱이라고도 한다. 사주팔자를 간명(看命)한다는 것은 바로 이 일간을 중심으로 주변과의 관계를 역동적으로 파악하는 것이다.

時柱	日柱	月柱	年柱
자식궁	본인.배우자궁	부모궁	조상궁
時干 아들	日干 본인	月干 부친	年干 조부
時支 딸	日支 배우자	月支 모친	年支 조모
열매(實)	꽃(花)	싹(苗)	뿌리(根)
미래	현재	과거	과거
노년	중장년	청소년	유년
61~80세	41~60세	21~40세	1~20세

년주(年柱)

사주팔자의 년주는 운명의 시발점이다. 나(일간)를 있게 한 근본이고 일간의 뿌리(根)이기 때문에 조상을 의미한다. 또한 그 조상 자리의 음덕이 많으냐에 따라 이 자리를 보고 어린 시절(유년:1~20세)이 유복했는지를 보게 되는 것이다. 좁은 범위로는 년간을 할아버지(조부), 연지를 할머니(조모)로 설정하기도 한다. <일부 학자는 현대 핵가족 사회에서는 년간을 부친, 년지를 모친으로 해석한다.> 현재 평균수명이 늘어났기 때문에 운한(運限)기간을 총 80세 기준으로 하지만 초고령화 시대 빠른 진입으로 앞으로 총 100세 기준으로 설정해야 한다.

월주(月柱)

월주는 그 뿌리(조상)에 힘입어 자라나는 싹(苗)이다. 그래서 조부모로부터 이어지는 아버지(부친), 어머니(모친)를 나타내는 자리다. 또한 일간의 형제자매를 보는 자리이기도 하다. 월간을 아버지, 월지를 어머니로 설정하고 있다. 또 월간을 형제, 월지를 자매로 보기도 한다. 이 자리를 보고 청소년기(21-40세)를 추측한다.<일부 학자는 현대 핵가족 사회에서는 월간을 형제자매로 해석합니다.>

일주(日柱)

일주는 년주와 월주가 이루어 낸 꽃(花)이다. 일주의 일간(日干)은 당연히 나 자신이고 일지는 나의 배우자를 나타낸다. 이 자리를 보고 중장년기(41~60세)를 파악합니다.

시주(時柱)

시주는 조상대로 이어지는 마지막 결실(實)이라 하여 일간의 자식, 자손을 나타낸다. 이 자리를 보고 말년(61~80세)의 모습을 보는 것입니다.

QR코드 동영상 강의

왕초보사주학 12강

13강

월률분야
지장간

13강. 월률분야(月律分野)와 지장간(支藏干)은 무엇인가?

氣.支	子	丑	寅	卯	辰	巳	午	未	申	酉	戌	亥
餘氣	壬	癸	戊	甲	乙	戊	丙	丁	戊	庚	辛	戊
	10	9	7	10	9	7	10	9	7	10	9	7
中氣		辛	丙		癸	庚	己	乙	壬		丁	甲
		3	7		3	7	9	3	7		3	7
正氣	癸	己	甲	乙	戊	丙	丁	己	庚	辛	戊	壬
	20	18	16	20	18	16	11	18	16	20	18	16

계절	봄(春)			여름(夏)			가을(秋)			겨울(冬)		
월	寅月	卯月	辰月	巳月	午月	未月	申月	酉月	戌月	亥月	子月	丑月
여기餘氣	戊	甲	乙	戊	丙	丁	己戊	庚	辛	戊	壬	癸
중기中氣	丙		癸	庚	己	乙	壬		丁	甲		辛
정기正氣	甲	乙	戊	丙	丁	己	庚	辛	戊	壬	癸	己
절기節氣	입춘	경칩	청명	입하	망종	소서	입추	백로	한로	입동	대설	소한
중기中氣	우수	춘분	곡우	소만	하지	대서	처서	추분	상강	소설	동지	대한

1. 월률분야(月律分野)

위의 표에서 사생지(四生地)는 계절의 시작인 寅巳申亥이고, 사왕지(四旺地)는 계절의 중심으로 子午卯酉로 힘이 막강하고, 사고지(四庫地)는 계절의 끝으로 창고라고 생각하면 된다. 월률분야에는 여기(余氣), 중기(中氣), 정기(正氣)로 구분되어 있으며, 초기(初氣), 중기(中氣), 말기(末氣)라고도 한다.

* 여기 -> 전월(前月)의 기가 남아있는 상태
* 중기 -> 여기 다음으로 오는 기운으로 성장기의 상태
* 정기 -> 당월의 기운이 성숙되어 충만한 상태 (제일 강한 기운)

월률분야는 月支에만 해당하는 것이다. 그래서 지장간과 다르며 해당 月에 천간의 기운이 지지에도 사령(司令)한다는 것이 월률분야이다. 이렇게 지장간들이 각각 기간에 작용하는 것을 사령(司令) 또는 당령(當令)이라고 부른다.

상기 표에 적힌 일수는 사령(司令) 일수이다. 해당 월의 절입일부터 여기(餘氣)가 사령일 수만큼 사령하고, 그다음은 중기(中氣)가 사령하고, 그다음은 다음 달 절입일 시각 직전까지 정기(正氣.本氣.末氣)가 사령한다. 도표에서 보면 지지의 寅(1월)안에는 여기가 戊. 중기가 丙. 정기가 甲 의 세 가지 氣가 있다는 말이다.

해당 기간은 1월 한 달 30일 중에서 여기인 戊가 7일간, 丙이 7일간, 나머지 16일은 甲의 기운이라는 뜻이다.(중기가 없는 경우도

있다.) 즉, 지지는 천간의 3배 힘이 있다고 했기에 寅 속에는 3개 (戊.丙.甲)가 보이지 않고 숨어 있으면서, 안 보이는 온갖 작용을 하고 있다고 생각하면 된다.

따라서 寅월의 경우 절입일이 2월 4일이라면 2월 4일부터 7일간 인 2월 10일까지 戊土가 사령하고, 그다음은 중기인 丙火가 7일 사령하고, 그 나머지인 卯월 절입일까지 본기이면서 정기인 甲木 이 사령한다. 이 월률분야도는 대단히 중요하며 사주 공부하는 데 있어서 꼭 필요한 것이기 때문에 반드시 암기해야 한다.

地支	子	丑	寅	卯	辰	巳	午	未	申	酉	戌	亥
地藏干	癸	癸辛己	戊丙甲	乙	乙癸戊	戊庚丙	己丁	丁乙己	戊壬庚	辛	辛丁戊	甲壬

2. 지장간(地藏干): 지지장천간(地支藏天干)

지금까지 공부하면서 지장간. 암장. 장간. 말들이 나왔는데 모두 같 은 뜻이다. 지장간이란 각 地支(12지지) 속에 숨겨 있는 天干(땅 속에 숨어있는 천간)으로, 지지에 감추어진, 즉 안 보이는 천간 오 행을 말한다. 월률분야와 지장간은 비슷한 것 같지만 다르다. 월률 분야는 월지에 천간의 기운이 해당 일수만큼 사령 한다는 의미지만, 지장간에는 사령 일수가 아예 없고 해당 지지에는 천간의 기운이 그대로 머물러 있다는 의미이다. 월률분야를 외웠으면 지장간은 저절로 외워지게 된다. 월률분야의 일수는 다 없어진다. 子午卯酉에는 여기(餘氣)다 전부 없어지고, 여기에 亥에는 여기인 戊土를 없애면 그것이 바로 지장간이다.

하늘에 펼쳐지는 천간의 기운은 순수한 기운으로 우리의 눈으로 직접 보고 확인할 수 있으나 땅은 그 속에 무엇을 감추고 있는지 파헤쳐 보지 않고는 알 수 없는 것이다. 지지가 천간과 달리 잡성분이 섞인 것은 바로 지장간이 있기 때문이다. 즉 지지는 그 성분이 천간처럼 순수하지가 않고 여러가지 성분이 모여 만들어진 것이다. 지장간은 사주 해석에 있어서 대단히 중요하므로 반드시 암기해 두어야 한다.

☞ 지장간(支藏干) 쉽게 외우는 법

왕초보 때는 육십갑자나 지장간이 잘 외워지지 않는다. 일단 유치하지만 연상기억법으로 외우시고 나중에는 寅을 보면 戊丙甲이 바로 떠올리시면 된다. 엄청 중요하니 무조건 암기해야 한다.

지장간(支藏干) 쉽게 외우는 법
寅=====간은 戊丙장수하겠다고 꼴甲을 떤다   戊丙甲

卯=====한 것은 甲돌이가 왜 乙지로에서 죽었는지　(甲)乙

辰=====한 맛乙 내려면 癸란과 戊를 넣어라　　乙癸戊

巳=====戊라이가 庚찰에 얻어맞고 丙원에 실려갔다.　戊庚丙

午=====마담이 丙난 것은 己丁사실이다.　　(丙)己丁

未=====우면 고운丁乙 근대하지 마라.　　丁乙己

申=====근루같이 戊壬승차하면 庚친다.　　戊壬庚

酉=====리하게 庚辛하라　　　(庚)辛

戌=====은 辛丁때 戊척 마신다.　辛丁戊

亥=====저戊는 甲판에서 壬그리워 운다. (戊)甲壬

子===== 선생壬 癸시냐?　(壬)癸

丑===== 선생님　癸辛己요?　癸辛己

QR코드 동영상 강의

왕초보사주학 13강

14강

왕상

휴수사

14강. 일간(日干)의 왕상휴수사(旺相休囚死) 란 무엇인가?

일간의 왕상휴수사란 계절의 변화를 통해 오행의 강약을 표시한 것이다. 사주에서 일간이 어느 계절에 태어났는가에 따라서 환경이 틀리므로 오행의 강약을 추론할 때 중요한 역할을 한다.

강약	일간	甲.乙 (木)	丙.丁 (火)	戊.己 (土)	庚.辛 (金)	壬.癸 (水)
旺	최강	寅.卯月	巳.午月	辰戌丑未月	申.酉月	亥.子月
相	강	亥.子月	寅.卯月	巳.午月	辰戌丑未月	申.酉月
休	약	巳.午月	辰戌丑未月	申.酉月	亥.子月	寅.卯月
囚	중약	辰戌丑未月	申.酉月	亥.子月	寅.卯月	巳.午月
死	최약	申.酉月	亥.子月	寅.卯月	巳.午月	辰戌丑未月

위의 표는 십 천간의 계절에 따른 왕상휴수사를 나타낸 것이다. 월지는 계절(季節)을 보는 곳으로 천간의 오행은 자신의 계절(비겁월)에는 왕(旺)하고, 바로 前 계절(인수월)에는 상(相)이 됩니다. 자신의 계절을 넘어서면(식상월) 휴(休)가 되고, 자신이 剋하는 계절(재성월)에서는 수(囚)가 되며, 자신이 剋을 받는 계절(관성월)에서는 사(死)가 되고 있음을 알 수 있다.

만약 자신의 사주 속에 비록 일간과 같은 오행이 여럿 있을지라도 그것들이 왕상(旺相)이 아닌 휴수(休囚)지에 있을 때는 때를 만나 혼자 있는 것만 못하다.

사계절에 따라 논하면

봄(春)은 목왕지절(木旺之節)이므로 木이 旺하고,

여름(夏)은 화왕지절(火旺之節)이니 火가 旺하며,

가을(秋)은 금왕지절(金旺之節)이니 金이 旺하고,

겨울(冬)은 수왕지절(水旺之節)이니 水가 旺하며,

사계(四季)는 토왕지절(土旺之節)이니 土가 旺하다.

旺은 일간의 힘이 가장 강하고 일간과 같은 오행이다.

相은 일간의 힘이 강하고 일간을 生 하는 오행이다.

休는 일간의 힘이 약하고 일간이 生 해주는 오행이다.

囚는 일간의 힘이 많이 약하고 일간이 剋 하는 오행이다.

死는 일간의 힘이 가장 약하고 일간을 剋 하는 오행이다.

사계절의 춘하추동을 거치면서 오행 강약의 변화가 일어난다. 어느 때는 힘이 넘치고, 어느 때는 너무 약하여 힘을 못 쓴다. 천간은 甲乙丙丁戊己庚辛壬癸 열 개가 있다. 갑을(甲乙)은 목(木)이고, 병정(丙丁)은 화(火)이고, 무기(戊己)는 토(土)이고, 경신(庚辛)은 금(金)이고, 임계(壬癸)는 수(水)이다. 甲乙은 제철인 봄(春)에 가장 왕하고, 丙丁은 여름(夏), 戊己는 사계월(四季月), 庚辛은 가을(秋), 壬癸는 겨울(冬)에 가장 왕할 것은 뻔한 이치이다.

오행의 氣 강약을 좀 더 세분화하여 다섯 단계로 나눈 것이 旺相休囚死法이다. 기가 가장 강한 것은 旺, 그 다음으로 강한 것은 相, 그 다음은 休, 囚, 死로 나누었다. 가장 약한 것은 죽을 사(死)자를 써서 표현하였다. 즉, 왕 > 상 > 휴 > 수 > 사 의 5등급으로 나누어 氣의 강약을 표현한 것이다.

QR코드 동영상 강의

왕초보사사주학 14강

15강

십신

무엇인가?

15강. 십신(十神)이란 무엇인가?

십신(十神)은 사주팔자의 핵심이며 사주통변의 꽃이라고 할 만큼 중요한 이론이다. 사주팔자에서 사주의 주인공 일간(日干)을 중심 으 나머지 7 字와의 관계를 음양과 오행의 생극 관계로 구분하여 나타낸 것인데 다른 말로는 육신(六神) 또는 육친(六親)이라고도 하고 십성(十星)이라고도 한다.

십신의 종류는 크게 다섯 가지로 나누는데 비겁(比劫), 식상(食傷), 재성(財星), 관성(官星), 인성(印星)이다. 이렇게 다섯 개의 오성(五星)과 아신(我身) 즉 나를 포함하여 여섯 개의 별이 되는 까닭에 육신(六神)이라고 부르기도 하며 부모 형제와 처자식 또는 남편과 같은 가족관계를 나타내므로 육친(六親)이라고 부르기도 한다. 그런데 이것을 다시 음양 관계의 구분에 따라 각각 두 개씩 으로 나누면 모두 10개가 되므로 십성(十星) 혹은 십신(十神)이라 고 부르는 것이다.

비겁은 비견(比肩)과 겁재(劫財)로 나누고, 식상은 식신(食神)과 상관(傷官)으로 나누며, 재성은 편재(偏財)와 정재(正財), 관성은 편관(偏官)과 정관(正官), 그리고 인성은 편인(偏印)과 정인(正印) 으로 나누어 모두 10개가 되는 것이다.

십신(十神)을 정하는 방법

십신을 정하는 방법은 사주에서 일간을 기준으로 하여 나머지 7글자와의 관계를 음양과 오행의 생극으로 구분하여 정하게 된다. 다음과 같이 익히면 쉽게 이해할 수 있다.

첫째, 생(生) 관계와 극(剋) 관계의 두 가지로 크게 구분한다.

둘째, 생(生) 관계는 내가 생하는 것과 나를 생하는 것으로 구분한다.

셋째, 극(剋)관계 또한 내가 극 하는 것과 나를 극 하는 것으로 구분한다.

넷째, 이것을 다시 음양(陰陽)이 같은 것과 음양(陰陽)이 다른 것으로 구분한다.

좀 더 구체적으로 설명하면 일간을 기준으로 하여 다음과 같이 이름 지어 부른다.

첫째, 生 관계를 보면 내가 생 하는 것은 식신 또는 상관이라 하고, 나를 생 하는 것은 인성이라 하는데 인성에는 편인과 정인이 있다.

둘째, 剋 관계에서는 내가 극 하는 것은 재성이라 하여 편재와 정재로 나누고 나를 극 하는 것은 관성이라 하며 편관과 정관으로 구분한다.

이것을 음양이 같은 것과 다른 것으로 다시 구분하여 보면 다음과 같다.

내가 생 하는 것 중 음양이 같으면 식신, 음양이 다르면 상관이라 하고, 나를 생 하는 것 중 음양이 같으면 편인, 음양이 다르면 정인이라 하며, 내가 극 하는 것 중 음양이 같으면 편재, 음양이 다르면 정재라 하고, 나를 극 하는 것 중 음양이 같으면 편관, 음양이 다르면 정관이라 하는 것이다.

마지막으로 나와 같은 오행은 비견 또는 겁재라고 하는데 나와 음양까지 똑같으면 비견이라 하고, 음양이 다르면 겁재라고 한다.

이것을 다시 한번 정리하여 설명해 보면 다음과 같다.

비견(比肩)은 일간과 같은 오행으로 음양까지 같은 것

겁재(劫財)는 일간과 오행은 같으나 음양이 다른 것

식신(食神)은 일간이 생 하는 오행으로 음양이 같은 것

상관(傷官)은 일간이 생 하는 오행으로 음양이 다른 것

편재(偏財)는 일간이 극 하는 오행으로 음양이 같은 것

정재(正財)는 일간이 극 하는 오행으로 음양이 다른 것

편관(偏官)은 일간을 극 하는 오행으로 음양이 같은 것

정관(正官)은 일간을 극 하는 오행으로 음양이 다른 것

편인(偏印)은 일간을 생 하는 오행으로 음양이 같은 것

정인(正印)은 일간을 생 하는 오행으로 음양이 다른 것

비아자(比我者)는 비겁성(比劫星)으로 비견. 겁재이다.

아생자(我生者)는 식상성(食傷星)으로 식신. 상관이다,

아극자(我剋者)는 財星으로 편재. 정재이다,

극아자(剋我者)는 官星으로 편관. 정관이다,

생아자(生我者)는 印星으로 편인. 정인이다.

干支 日干	甲 寅	乙 卯	丙 巳	丁 午	戊 辰戌	己 丑未	庚 申	辛 酉	壬 亥	癸 子
甲	比肩	劫財	食神	傷官	偏財	正財	偏官	正官	偏印	正印
乙	劫財	比肩	傷官	食神	正財	偏財	正官	偏官	正印	偏印
丙	偏印	正印	比肩	劫財	食神	傷官	偏財	正財	偏官	正官
丁	正印	偏印	劫財	比肩	傷官	食神	正財	偏財	正官	偏官
戊	偏官	正官	偏印	正印	比肩	劫財	食神	傷官	偏財	正財
己	正官	偏官	正印	偏印	劫財	比肩	傷官	食神	正財	偏財
庚	偏財	正財	偏官	正官	偏印	正印	比肩	劫財	食神	傷官
辛	正財	偏財	正官	偏官	正印	偏印	劫財	比肩	傷官	食神
壬	食神	傷官	偏財	正財	偏官	正官	偏印	正印	比肩	劫財
癸	傷官	食神	正財	偏財	正官	偏官	正印	偏印	劫財	比肩

[십신 조견표]

예를 들어 어떤 사람의 사주에서 일간이 甲木이라 하고, 먼저 천
간과 甲木 일간 사이의 십신 관계를 정리해 보면 다음과 같다.

甲木은 일간과 음양오행이 같으므로 비견(比肩)

乙木은 일간과 오행은 같으나 음양이 다르므로 겁재(劫財)

丙火는 일간이 생 하는 오행으로 음양이 같으므로 식신(食神)

丁火는 일간이 생 하는 오행으로 음양이 다르므로 상관(傷官)

戊土는 일간이 극 하는 오행으로 음양이 같으므로 편재(偏財)

己土는 일간이 극 하는 오행으로 음양이 다르므로 정재(正財)

庚金은 일간을 극 하는 오행으로 음양이 같으므로 편관(偏官)

辛金은 일간을 극 하는 오행으로 음양이 다르므로 정관(正官)

壬水는 일간을 생 하는 오행으로 음양이 같으므로 편인(偏印)

癸水는 일간을 생 하는 오행으로 음양이 다르므로 정인(正印)

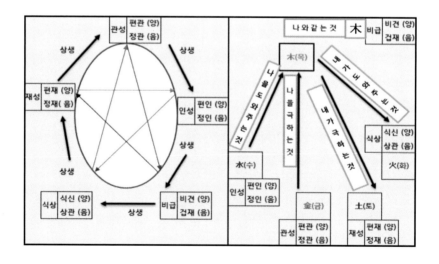

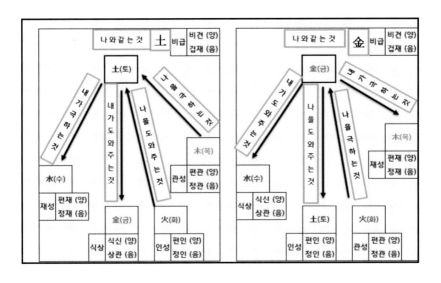

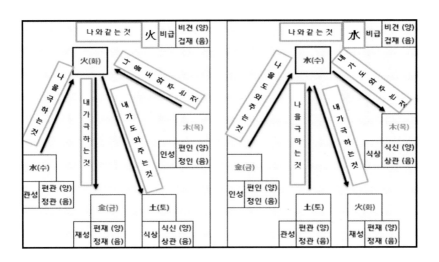

이번에는 지지와 甲木 일간 사이의 십신 관계를 정리해 보면 다음
과 같다.

寅木은 일간과 음양과 오행이 모두 같으므로 비견(比肩)

卯木은 일간과 오행은 같으나 음양이 다르므로 겁재(劫財)

辰土는 일간이 극하는 오행으로 음양이 같으므로 편재(偏財)

巳火는 일간이 생하는 오행으로 음양이 같으므로 식신(食神)

午火는 일간이 생하는 오행으로 음양이 다르므로 상관(傷官)

未土는 일간이 극하는 오행으로 음양이 다르므로 정재(正財)

申金은 일간을 극하는 오행으로 음양이 같으므로 편관(偏官)

酉金은 일간을 극하는 오행으로 음양이 다르므로 정관(正官)

戌土는 일간이 극하는 오행으로 음양이 같으므로 편재(偏財)

亥水는 일간을 생하는 오행으로 음양이 같으므로 편인(偏印)

子水는 일간을 생하는 오행으로 음양이 다르므로 정인(正印)

丑土는 일간이 극하는 오행으로 음양이 다르므로 정재(正財)

[예외]

여기서 중요한 예외가 있으니, 午(+). 巳(-) 와 子(+).亥(-)는 음
양이 바뀐다는 것이다 (육신에만 해당)

甲(갑)	乙(을)	丙(병)	丁(정)	戊(무)	己(기)	庚(경)	辛(신)	壬(임)	癸(계)
未	未	火	火	土	土	金	金	水	水
양	음	양	음	양	음	양	음	양	음
甲(갑)	乙(을)	丙(병)	丁(정)	己(기)	己(기)	庚(경)	辛(신)	壬(임)	癸(계)
寅(인)	卯(묘)	巳(사)	午(오)	辰戌	丑未	申(신)	酉(유)	亥(해)	子(자)
木	木	火	火	土	土	金	金	水	水
양	음	양	음	양	음	양	음	양	음
乙(을)	甲(갑)	丁(정)	丙(병)	己(기)	戊(무)	辛(신)	庚(경)	癸(계)	壬(임)
卯(묘)	寅(인)	午(오)	巳(사)	丑未	辰戌	酉(유)	申(신)	子(자)	亥(해)
음	양	음	양	음	양	음	양	음	양
丙(병)	丁(정)	戊(무)	己(기)	庚(경)	辛(신)	壬(임)	癸(계)	甲(갑)	乙(을)
巳(사)	午(오)	辰戌	丑未	申(신)	酉(유)	亥(해)	子(자)	寅(인)	卯(묘)
火	火	土	土	金	金	水	水	木	木
양	음	양	음	양	음	양	음	양	음
丁(정)	丙(병)	己(기)	戊(무)	辛(신)	庚(경)	癸(계)	壬(임)	乙(을)	甲(갑)
午(오)	巳(사)	丑未	辰戌	酉(유)	申(신)	子(자)	亥(해)	卯(묘)	寅(인)
火	火	土	土	金	金	水	水	木	木
음	양	음	양	음	양	음	양	음	양
戊(무)	己(기)	庚(경)	辛(신)	壬(임)	癸(계)	甲(갑)	乙(을)	丙(병)	丁(정)
辰戌	丑未	申(신)	酉(유)	亥(해)	子(자)	寅(인)	卯(묘)	巳(사)	午(오)
土	土	金	金	水	水	木	木	火	火
양	음	양	음	양	음	양	음	양	음
己(기)	戊(무)	辛(신)	庚(경)	癸(계)	壬(임)	乙(을)	甲(갑)	丁(정)	丙(병)
丑未	辰戌	酉(유)	申(신)	子(자)	亥(해)	卯(묘)	寅(인)	午(오)	巳(사)
土	土	金	金	水	水	木	木	火	火
음	양	음	양	음	양	음	양	음	양
庚(경)	辛(신)	壬(임)	癸(계)	甲(갑)	乙(을)	丙(병)	丁(정)	戊(무)	己(기)
申(신)	酉(유)	亥(해)	子(자)	寅(인)	卯(묘)	巳(사)	午(오)	辰戌	丑未
金	金	水	水	木	木	火	火	土	土
양	음	양	음	양	음	양	음	양	음
辛(신)	庚(경)	癸(계)	壬(임)	乙(을)	甲(갑)	丁(정)	丙(병)	己(기)	戊(무)
酉(유)	申(신)	子(자)	亥(해)	卯(묘)	寅(인)	午(오)	巳(사)	丑未	辰戌
金	金	水	水	木	木	火	火	土	土
음	양	음	양	음	양	음	양	음	양
壬(임)	癸(계)	甲(갑)	乙(을)	丙(병)	丁(정)	戊(무)	己(기)	庚(경)	辛(신)
亥(해)	子(자)	寅(인)	卯(묘)	巳(사)	午(오)	辰戌	丑未	申(신)	酉(유)
水	水	木	木	火	火	土	土	金	金
양	음	양	음	양	음	양	음	양	음
癸(계)	壬(임)	乙(을)	甲(갑)	丁(정)	丙(병)	己(기)	戊(무)	辛(신)	庚(경)
子(자)	亥(해)	卯(묘)	寅(인)	午(오)	巳(사)	丑未	辰戌	酉(유)	申(신)
水	水	木	木	火	火	土	土	金	金
음	양	음	양	음	양	음	양	음	양

일간 甲
- 癸子: 인수
- 甲寅: 비견
- 乙卯: 겁재
- 壬亥: 편인
- 丙巳: 식신
- 丁午: 상관
- 庚申: 편관
- 辛酉: 정관
- 己丑未: 정재
- 戊辰戌: 편재

일간 乙
- 癸子: 편인
- 甲寅: 겁재
- 乙卯: 비견
- 壬亥: 인수
- 丙巳: 상관
- 丁午: 식신
- 庚申: 정관
- 己丑未: 편재
- 戊辰戌: 정재

일간 丙
- 癸子: 정관
- 甲寅: 편인
- 乙卯: 인수
- 壬亥: 편관
- 丙巳: 비견
- 丁午: 겁재
- 庚申: 편재
- 己丑未: 상관
- 戊辰戌: 식신

일간 丁
- 癸子: 편관
- 甲寅: 인수
- 乙卯: 편인
- 壬亥: 정관
- 丙巳: 겁재
- 丁午: 비견
- 庚申: 정재
- 己丑未: 식신
- 戊辰戌: 상관

일간 戊
- 癸子: 정재
- 甲寅: 편관
- 乙卯: 정관
- 丙巳: 편인
- 丁午: 인수
- 己丑未: 겁재
- 戊辰戌: 비견

일간 己
- 癸子: 편재
- 甲寅: 정관
- 乙卯: 편관
- 壬亥: 정재
- 丙巳: 인수
- 丁午: 편인
- 庚申: 상관
- 己丑未: 비견
- 戊辰戌: 겁재

일간 庚
- 癸子: 상관
- 甲寅: 편재
- 乙卯: 정재
- 壬亥: 식신
- 丙巳: 편관
- 丁午: 정관
- 己丑未: 인수
- 戊辰戌: 편인

일간 辛
- 癸子: 식신
- 甲寅: 정재
- 乙卯: 편재
- 壬亥: 상관
- 丙巳: 정관
- 丁午: 편관
- 庚申: 겁재
- 己丑未: 편인
- 戊辰戌: 정인

일간 壬
- 癸子: 겁재
- 甲寅: 식신
- 乙卯: 상관
- 丙巳: 편재
- 丁午: 정재
- 庚申: 편인
- 己丑未: 정관
- 戊辰戌: 편관

일간 癸
- 癸子: 비견
- 甲寅: 상관
- 乙卯: 식신
- 壬亥: 겁재
- 丙巳: 정재
- 丁午: 편재
- 庚申: 인수
- 己丑未: 편관
- 戊辰戌: 정관

그럼 실제 사주를 하나 보면서 알아보도록 하자.

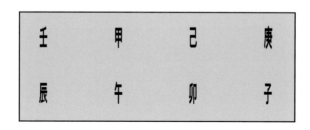

일간 甲木은 오행으로는 木이고 음양으로는 陽이다. 따라서 陽의 木이 된다.

1. 년간의 庚金은 오행으로 金이고 음양으로는 陽에 속하므로 양의 金이다. 따라서 일간 甲木을 극 하는 오행이고 일간과 음양이 또한 같으므로 庚金은 편관이다.

2. 월간의 己土는 음의 土로써 일간 甲木이 극 하는 오행인데 음양이 서로 다르다. 따라서 己土는 정재가 된다.

3. 시간의 壬水는 양의 水로써 일간 甲木을 생 하는 오행이고 음양이 같다. 그러므로 壬水는 일간 甲木에게 있어서 편인이 된다.

4. 년지의 子水는 음의 水이고 일간 甲木을 생 하는 오행인데 음양이 다르다. 따라서 子水는 甲木의 정인이 된다.

5. 월지 卯木은 음의 木으로 일간 甲木과 같은 오행이고 음양이 다르다. 그러므로 지지 卯木은 일간 甲木의 겁재가 된다.

6. 일지 午火는 오행으로 火이고 음양으로는 음이므로 일간 甲木

이 생하여 주는 오행이다. 그러나 음양이 서로 다르므로 상관이라 한다.

7. 마지막 시지의 辰土는 양의 土이고 일간 甲木이 극 하는 오행이며 음양까지 같다. 그러므로 辰土는 일간 甲木에게 편재에 해당한다.

십신(十神)을 빨리 파악하기 위해서는 천간과 지지의 각 글자가 지니는 음양과 오행의 성분을 먼저 알아야 한다. 예를 들어 甲木은 陽의 木, 乙木은 陰의 木, 丙火는 陽의 火, 丁火는 陰의 火...... 寅木은 陽의 木, 卯木은 陰의 木, 辰土는 陽의 土, 巳火는 陽의 火...... 등등 이것을 모르고는 십신 관계를 도저히 알 수가 없을 것이다. 음양 오행적인 요소와 아울러 오행의 상생상극(相生相剋)관계를 알아야 한다. 따라서 간지(干支)의 글자를 보고 음양과 오행을 알고, 또 다른 글자와의 관계에서 생 하는 관계인지 극 하는 관계인지를 알아야 십신 관계를 정할 수가 있는 것이다.

QR코드 동영상 강의

왕초보사주학 15강

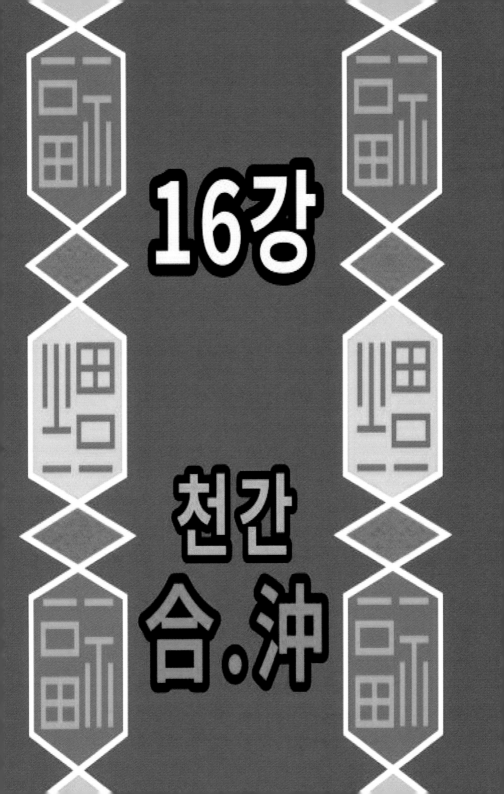

16강

천간
合.沖

16강. 천간(天干) 합충(合沖)이란 무엇인가?

合의 구성은 陰과 陽의 배합이다. 1과 10의 만남. 남과 여의 만남. 인력(引力)으로 서로 끌어당긴다. 合이 되는 날의 日辰은 좋다. 引力으로 끌어당긴다. 만난다. 沖은 나에게 떨어져 나가는 날이다. 퇴력(推力)으로 분산된다. 싸운다.

○ 合 – 만나다. 모이다. 의의가 좋다. 집합된다. 묶이다. 뜻이 통한다. 사이클이 맞는다.

○ 沖 – 충돌. 이탈. 파괴. 쟁투. 불화로 음과 음, 양과 양의 대립이다.

동서남북으로 맞서야 沖이 성립된다. 즉 거부반응으로 밀어내기이다. 그러므로 戊己土 중성자(中性子)는 중앙(中央)이므로 合은 되나 沖은 없다.

○ **相合**

甲己合 乙庚合 丙辛合 丁壬合 戊癸合

○ **相沖**

甲庚沖 乙辛沖 丙壬沖 丁癸沖

1. 천간합(天干合)

甲己合　乙庚合　丙辛合　丁壬合　戊癸合

甲己合化 土: 甲木과 己土가 合하여 土로 化

乙庚合化 金: 乙木과 庚金이 合하여 金으로 化

丙辛合化 水: 丙火와 辛金이 合하여 水로 化

丁壬合化 木: 丁火와 壬水가 合하여 木으로 化

戊癸合化 火: 戊土와 癸水가 合하여 火로 化

甲 乙 丙 丁 戊 己 庚 辛 壬 癸

1 2 3 4 5 6 7 8 9 10

天干合은 천간 6번째와 합이 된다. 반드시 陰과 陽이 合한다. 合은 글자 그대로 합한다. '화합한다. 묶는다. 답답하다. 구속한다. 모인다' 라는 뜻이며 합이 되면 본래의 역할을 하지 않는다는 뜻도 있다. 天干合은 서로 剋 하는 관계에 있으면서도 陰陽이 만나 合을 이룬다. 合化는 十天干 중에서 두 개의 천간이 서로 合 하여 새로운 오행으로 변화는 경우를 말한다. 陽의 천간과 陰의 천간이 合을 하기 때문에 음양지합(陰陽之合)이며 남자와 여자가 만나 合을 이루는 것과 같으니 부부합(夫婦合)이라고도 한다.

그런데 왜 갑목(甲木)과 기토(己土)가 합(合)하여 토(土)가 되는 것은 사주(四柱)의 월주(月柱)를 세울 때 갑기년(甲己)년은 병인(丙寅)월부터 시작하였는데 여기서 병화(丙火)는 토(土)를 생한다. 그래서 갑기(甲己)는 합(合) 토(土)가 되는 것이다. 나머지도 분석해 보면

> 갑기(甲己) ⇨ 병인(丙寅) = 화(火) ⇨ 토(土)
>
> 을경(乙庚) ⇨ 무인(戊寅) = 토(土) ⇨ 금(金)
>
> 병신(丙辛) ⇨ 경인(경寅) = 금(金) ⇨ 수(水)
>
> 정임(丁壬) ⇨ 임인(戊寅) = 수(水) ⇨ 목(木)
>
> 무계(戊癸) ⇨ 갑인(甲寅) = 목(木) ⇨ 화(火)

① 甲己合土를 중정지합(中正之合)이라고도 하며 품위(品位)나 절도(節度)를 나타내지만 지혜는 부족하다.

② 乙庚合金을 인의지합(仁義之合)이라고도 하며 과감하고 강직하며 의리가 있지만 결단성은 부족하다.

③ 丙辛合水의 경우는 위엄지합(威嚴之合)이라고도 하며 총명하고 지혜는 있으나 잔인 냉정하고 강압적인 성격이 있다.

④ 丁壬合木은 인수지합(仁壽之合) 또는 음란지합(淫亂之合)이라고 하며 소심하고 분위기에 약하며 대개는 나쁜 뜻으로 많이 사용된다. 즉, 질투, 호색, 음란한 성격이 있다.

⑤ 戊癸合火를 무정지합(無情之合)이라고도 하는데 화려하고 사치
스러우며 예의가 없고 총명해도 무정하다.

2. 천간충(天干沖)

甲庚沖
乙辛沖
丙壬沖
丁癸沖

甲 乙 丙 丁 戊 己 庚 辛 壬 癸

1 2 3 4 5 6 7 8 9 10

天干沖은 7번째 천간과 沖하므로 七沖이라고도 한다. 十天干 중
에서 두 개의 천간이 서로 부딪쳐서 불안정한 상태를 나타낸다. 양
간과 양간. 음간과 음간끼리의 沖이며 상극관계의 沖이다. 天干沖
에는 4개만 성립하고 癸己. 戊壬. 丙庚 등은 沖이 아니고 剋으로
이해한다. 沖은 서로 붙어 있어야 작용력이 강하고 떨어진 상태에
서 沖은 작용력이 미약하다.

그러나 沖이 발생했다고 해서 꼭 나쁜 작용만 발생하는 것은 아니다. 沖을 한 결과 어떤 변화가 발생했는가를 잘 살펴보는 것이 중요하다. 沖은 고요하게 잘 있던 것을 움직이게 하며, 모여 있던 것을 흐트러지게 하여 변화를 일으키는 작용을 하는 것이다. 沖의 결과 오히려 전화위복이 되는 예도 있다.

천간(天干)에서의 충(沖)은 대개 충(沖)이라 하지 않고 극(剋)이라고 한다. 하늘은 맑고 가벼우며 동(動)하는 성질이 있고 땅은 탁하고 무거우며 정(靜)한 성질이 있으므로 천간의 沖은 가볍고 지지의 沖은 무겁게 일어난다. 또 沖한 五行의 음양(陰陽)에 따라 양(陽)의 沖은 빠르게 나타나며 음(陰)의 沖은 느리게 나타난다. 좌우간 沖하는 시기에는 다양한 사건들이 일어난다.

QR코드 동영상 강의

왕초보사주학 16강

17강

지지
合·沖

17강. 지지(地支) 합충(合沖)이란 무엇인가?

지지합(地支合)은 十二개의 지지(地支) 오행(五行)이 서로 짝을 이루어 합(合)의 관계를 이루는 것을 말한다. 서로 다른 지지(地支)의 오행(五行)이 일정한 법칙에 따라 합하여 새로운 오행으로 변화한다. 그러나 합을 하여 바뀌는 경우와 바뀌지 않는 경우가 있다.

1. 육합(六合)

子丑合化 土: 子丑이 合을 하여 土로 化

寅亥合化 木: 寅亥가 合을 하여 木으로 化

卯戌合化 火: 卯戌이 合을 하여 火로 化

辰酉合化 金: 辰酉가 合을 하여 金으로 化

巳申合化 水: 巳申이 合을 하여 水로 化

午未合化 火: 午未가 合을 하여 火로 化

12 지지 중에서 두 개가 서로 合하여 새로운 오행으로 변화하는 경우를 말한다. 六合도 천간합과 마찬가지로 음과 양이 만나 합을 이루니 부부합이다. 寅亥合과 辰酉合은 生하여 주는 관계에서 이루어진 生合으로 거의 合化가 성립된다. 卯戌合과 巳申合은 尅 관계에서 이루어진 尅合으로 合만 하는 경우가 많으며 合化가 되

지 않는 경우가 많다. 子丑合은 주변환경에 따라 土로 化할수 있고 水로 化할 수 있다. 육합이 성립하기 위해서는 나란히 붙어 있어야 한다.

子丑合 : 土剋水 하면서 合이 되니 剋合

寅亥合 : 水生木 하면서 合이 되니 生合

卯戌合 : 木剋土 하면서 合이 되니 剋合

辰酉合 : 土生金 하면서 合이 되니 生合

巳申合 : 火剋金 하면서 合이 되니 剋合

午未合 : 火生土 하면서 合이 되니 生合

剋合이 3개 生合이 3개 균형을 이루었다. 합도 무조건 좋다고 할 수 없다. 剋合은 剋을 하면서 合을 하므로 나를 패대기치려고 合을 한다. 그러므로 결국 결과가 좋지 않게 끝난다. 즉 巳申合이 되면 巳火가 火剋金으로 剋 하려고 合하러 온다.

2. 삼합(三合)

| 亥卯未 合化 木: 亥卯未가 서로 合하여 木으로 化 |
| 寅午戌 合化 火: 寅午戌이 서로 合하여 火로 化 |
| 巳酉丑 合化 金: 巳酉丑이 서로 合하여 金으로 化 |
| 申子辰 합化 水: 申子辰이 서로 合하여 水로 化 |

합이 되는 이유는 각기 가지고 있는 암장(暗藏)의 작용 때문인데 亥(甲), 卯(乙), 未(乙)가 각각 木氣를 갖고 만나서 木局이 되고, 寅(丙), 午(丁), 戌(丁)이 각각 火氣를 갖고 만나서 火局이 되고, 申(壬), 子(癸), 辰(癸)이 각각 水氣를 갖고 만나서 水局이 되고 巳(庚), 酉(申), 丑(申)이 각각 금기(金氣)를 갖고 만나서 金局이 된다.

12 지지중에서 서로 다른 3개의 지지가 서로 합하여 새로운 오행으로 변하는 경우를 말한다. 생지(生地). 왕지(旺地). 묘지(墓地) 중에서 한 자씩 서로 合을 한다. 生地는 寅.申.巳.亥를 말하며 사계절이 시작됨을 뜻한다.(立春,立夏.立秋,立冬) 旺地는 子.午.卯.酉를 말하며 가장 왕한 계절이다. 墓地는 辰.戌.丑.未를 말하며 각 계절이 끝나감을 의미하며 환절기를 말한다. 三合을 형성하려면 반드시 旺地가 포함되어 있어야 한다. 삼합이 성립되면 본래의 속성을 상실하고 합된 오행으로 바뀐다. 세 개의 지지 중에서 두 개만 있어도 반합이 되는데 반드시 왕지가 포함되어 있어야 한다.

寅	午	戌
巳	酉	丑
申	子	辰
亥	卯	未
地殺(지살)	帝王(제왕)	華蓋(화개)

三合은 인간사로 말하면 어떤 목적에 의한 合이다. 힘을 合하여 어떤 일을 하려고 하는 것이다. 三合 중 子, 午, 卯, 酉 중 한 글자가 포함된 두 五行만의 合, 예를 들면 午戌 같은 경우를 준삼합(準三合) 또는 반합(半合)이라 하고 이 경우는 三合보다 힘이 약한 것이다. 三合은 亥卯, 卯未, 亥未가 둘이 만나도 合이 성립한다. 寅午, 午戌, 寅戌이 둘이 만나도 合이 성립한다. 巳酉, 酉丑, 巳丑이 둘이 만나도 合이 성립한다. 申子, 子辰, 申辰이 둘이 만나도 合이 성립한다. 이처럼 둘이 모여서 작용하는 것을 준(準)三合이라 한다. 삼합은 또한 계절로 연결하는데 木이라는 봄은 10월(亥)에서 시작하여 2월(卯)에서 왕성하고 6월(未)에서 끝난다. 火라는 여름은 1월(寅)에서 시작하여 5월(午)에서 강하다가 9월(戌)에서 끝난다. 金이라는 가을은 4월(巳)에서 시작하여 8월(酉)에 강하다가 12월(丑)에서 끝난다. 水라는 겨울은 7월(申)에서 시작하여 11월(子)에 강하고 3월(辰)에서 끝난다.

3. 방합(方合)

寅卯辰 東方木局:	寅卯辰이 合하여 木局
巳午未 南方火局:	巳午未가 合하여 火局
申酉戌 西方金局:	申酉戌이 合하여 金局
亥子丑 北方水局:	亥子丑이 合하여 수局

寅 巳 申 亥	卯 午 酉 子	辰 未 戌 丑
建祿(건록)	帝王(제왕)	墓地(묘지)

같은 오행의 지지끼리의 습으로 더 강한 기운을 형성함을 뜻하며 방향을 나타내기 때문에 方合이라고 한다. 계절을 의미하여 계절 습이라고도 한다. 季節合(계절합)이라 한 것은 一월, 二월, 三월은 춘절(春節)로 東方木에 해당하며 四五六월은 하절(夏節)로 南方火에 해당하고, 七八九월은 추절(秋節)로 西方金에 해당하고, 十월,十一월,十二월은 동절(冬節)로 北方水에 해당하는 것이다.

방합의 반합은 합의 본기가 투간할 경우 작용한다. 작용력은 방합 보다는 삼합이 더 크다. 방합국(方合局)은 같은 지역의 성격을 가진 同類(동류)들의 습으로 地支 세자가 모여서 강력한 연합세력을 이루는 것을 말한다. 즉 단순한 木과 木의 단합체로서, 동기간, 동족이 일치단결한 것처럼, 유정하고 화목하며, 협동적이다.

방합(方合)이 성립되려면 몇가지 요건이 있다. 첫째, 방합(方合)을 이루는 세글자가 모두 사주(四柱)의 원국(原局)에 있어야 한다. 둘째, 반드시 세글자 중 한 글자는 월지(月支)에 있어야 한다. 왕지

(旺地)인 오행이 월지(月支)에 오면 다른 오행은 모두 자신의 고유한 성질은 잃고 모두 왕지(旺地)인 오행과 같이 바뀌었다고 본다. 그러나 다른 오행이 월지(月支)를 차지하면 그 국(局)을 이루었다고 하지만 각자 고유한 자신의 오행의 기(氣)를 완전히 잃지는 않았다고 본다. 셋째, 행운(行運)에서 와서 방합(方合)을 이루지는 못한다.

亥子丑, 申酉戌, 寅卯辰, 巳午未 방합은 같은 기운끼리 있는 합이다. 그러므로 끼리끼리 모였다 로 말한다. 사회적으로는 동호인 모임, 형제모임, 친구모임 등을 일컫는다. 연합하면 세력이 강해짐은 삼합이나 방합이나 다를 것 없다. 하지만 방합보다 삼합이 더 큰 그릇이다. 포용력과 융통성 그리고 사회 참여에 있어서도 차이가 있다. 방합이 한동네라면 삼합은 전국구이다. 국수적 민족주의가 방합이라면 삼합은 세계적 다원주의다.

준방합은 세 개 중에 하나가 빠진 亥子, 子丑, 亥丑, 申酉, 酉戌, 申戌, 亥卯, 卯辰, 寅辰, 巳午, 巳未, 午未를 말한다. 그러나 亥子, 申酉, 寅卯, 巳午는 준방합이라 하기보다 亥가 子를 만나 水의 힘이 강해졌고 申酉, 寅卯 등도 그렇다고 해석하면 된다. 그리고 子丑은 육합이므로 굳이 준방합으로 볼 필요가 없다. 亥丑은 子水를 불러들여 방합을 하고자 하는 상태로 보면 된다. 申戌, 寅辰, 巳未 등도 그렇다. 그러나 卯월에 辰년이라면 卯辰으로 년지 辰은 帶木

之土가 되어 木의 세력이 강해지는 것으로 보면 된다.

4. 암합(暗合)

암합(暗合)이란 겉으로 드러나지 않는 지장간(地藏干)끼리의 합을 말하는데, 법적으로 인정받지 못한 비밀 단체나 몰래 하는 사랑처럼 그 작용력은 치밀하면서도 조직적이라고 말할 수 있다. 지장간(地藏干) 안에 감추어진 천간, 비밀의 사랑으로 본다. 암합은 천간과 본기와의 관계에서 합을 이루는 것만 인정한다.

간지 암합(명암합): 壬午, 戊子, 丁亥, 辛巳

丁亥는 천간의 丁火랑 地支 亥水의 본기(本氣)인 壬水가 만나서 丁壬합을 이룬다. 戊子는 천간의 戊土와 지지의 子水 본기인 癸水가 戊癸합을 이루게 된다. 辛巳는 천간의 辛金과 지지의 사중 丙火가 만나 丙辛合을 이루므로 암합이 된다. 壬午도 마찬가지로 壬水와 午中의 본기인 丁火가 丁壬합을 이루어 암합이 된다. 이 네 개의 간지는 서로 단결이 되므로 유정(有情)한 것으로 말하게 되는데, 이것이 좋은 작용을 한다면 그 힘이 더욱 강하겠지만, 흉 작용을 하는 것과 합이 된다면 오히려 그 작용이 나빠지게 되므로 길흉에 대해서는 전체의 상황에 의해서 판단을 해야 한다.

지지 암합: 寅丑, 寅未, 亥午, 子戌, 卯申, (子辰, 巳酉)

지지끼리의 암합은 다섯 가지이다. 삼합과 암합이 겹치는 경우에는 암합을 고려하지는 않지만 오히려 그 단결력이 더욱 강하다. 겹치는 것으로 子辰과 巳酉가 있다. 이들은 암합(暗合)도 되고 명합(明合)도 되는데 명합을 우선하여 굳이 암합으로 보지 않는다.

5. 지지충(地支沖)

寅申沖. 巳亥沖: 生地沖. 驛馬沖
子午沖. 卯酉沖: 旺地沖. 桃花沖
辰戌沖. 丑未沖: 墓地沖, 地塵沖

地支沖도 天干沖처럼 같은 음양(陰陽)끼리 만나 沖을 하여 7번째 지지와 沖하므로 七沖이라고도 한다. 地支沖은 뿌리가 흔들리는 것으로 불안정한 상태와 여러 변화를 나타낸다. 陰과 陰이 沖을 하고, 陽과 陽이 沖을 한다. 이중에서 丑未沖과 辰戌沖은 똑같은 土끼리의 沖이므로 朋沖이라 한다.[붕(朋) : 한 지방 한솥밥을 3년 이상 먹은 친구(불알친구), 우(友): 오다가다 만난 친구]

명조에 子午卯酉나 寅申巳亥 또는 辰戌丑未 등의 특성이 같은 地支가 모두 있어 四沖이 이루어지면 沖으로 간주하지 않고 남자의 경우에는 대부대귀(大富大貴)할 수 있는 命으로 보고, 여자의 경우에는 반대로 본다.

子午 沖(丁↔癸)

丑未 沖(癸↔丁, 辛↔乙)

寅申 沖(丙↔壬, 甲↔庚)

卯酉 沖(乙↔辛)

辰戌 沖(乙↔辛, 癸↔丁)

巳亥 沖(庚↔甲, 丙↔壬)

沖을 하면 흔들린다. 싸운다. 그러므로 싸우면 악담하므로 沖을 받는 운에서는 비밀이 탄로 난다.

生地沖, 驛馬沖	寅申沖, 巳亥沖	분주하다.
旺地沖, 桃花沖	子午沖, 卯酉沖	심리적 불안정을 뜻한다.
墓地沖, 地震沖	辰戌沖, 丑未沖	붕충(朋沖), 큰 변화가 일어난다.

QR코드 동영상 강의

왕초보사주학 17강

18강

지지
형.파.해살

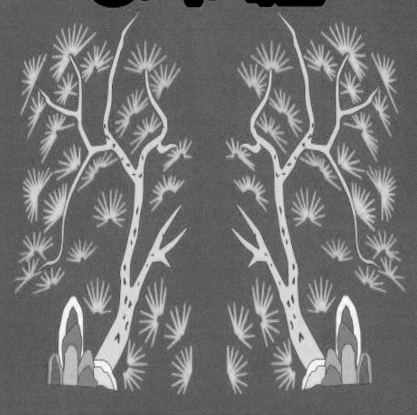

18강. 지지(地支) 형(刑).파(破).해살(害殺) 이란 무엇인가?

刑(형)이라 함은 글자 그대로 형벌하는 것으로 운명에 큰 작용을 하는 흉신(凶神)이다. 사주팔자에서 형살(刑殺)이 흉한 의미가 있는 경우는 관재. 송사. 구설. 납치. 감금. 파괴 등 흉사가 일어난다. 그러나 이 刑殺이 吉한 의미가 있는 경우는 군인, 경찰. 검찰 등의 직업과 의료계통에서 대성할 수 있다. 또한 형살은 삼형살(三刑殺) 寅巳申과 丑戌未가 있고 상형살(相刑殺)인 子卯와 자형살(自刑殺)인 辰辰, 午午, 酉酉, 亥亥가 있다.

1. 삼형살(三刑殺)

寅巳申: 무은지형(無恩之刑)으로 寅巳. 巳申. 寅申과 같이 두 자만 있어도 刑 작용을 한다. (역마) 이 삼형이 흉한 기운이면 항상 불안하고 주변을 무시하고 성격이 냉정하며 은혜를 모른다. 寅巳申은 역마지살에 해당하니, 노상 횡액을 조심하고, 寅日生이 巳申을 만나면 약물쇼크. 가스중독. 인생비관. 염세비관. 자살. 총탄부상. 파편부상 등을 당하여 본다.

丑戌未: 지세지형(持勢之刑)으로 丑戌. 戌未. 未丑과 같이 두 자

만 있어도 刑 작용을 한다. (화개) 같은 오행끼리 모여서 자기의 힘만 믿고 자기중심적 사고로 무모하게 추진하다가 실패하게 된다. 소화기, 피부 등의 질액이 있어 보고 특히 丑일생이 戌未을 만나면 위경련 환자가 많으며, 약물쇼크. 가스중독, 인생 비관, 총탄부상 등을 유의하고 피부병, 성병도 주의해야 한다.

2. 상형살(相刑殺)

子卯刑: 무례지형(無禮之刑)으로 이 刑이 흉한 기운이면 성정이 무례하고 포악하고 예의가 없다. (도화) 비뇨기 계통의 질환, 즉 성병, 방광염 등에 주의해야 한다.

3. 자형살(自刑殺)

辰辰, 午午, 酉酉, 亥亥를 자형이라 말하며 이 자형이 흉살을 겸하면, 스스로 自害(자해)를 하기 쉽고 자형은 스스로 의심하고, 꾸미고 貪(탐)하다가 다치고 패하고 변덕이 심하다.

4. 파살(破殺)

子酉破. 丑辰破. 寅亥破. 卯午破. 巳申破. 戌未破. 破는 파괴, 분열을 의미한다. 破는 삼합을 깨는 역할을 한다. 子酉파의 경우 申

子辰 三合의 辰과 酉가 육합하고, 巳酉丑의 丑과 子가 육합하여, 삼합의 결합을 방해 하는 것이다.(이하 동법)

5. 육해(六害:相穿殺)살

子未害. 丑午害. 寅巳害. 卯辰害. 申亥害. 酉戌害

子丑은 육합이 되는데 未를 보면 丑未沖으로 육합을 깨는 방해자로 육해라 한다. 六害는 결합을 깨뜨리고 협력을 방해하는 파괴와 분열의 흉성이다. 일반적으로 子未와 丑午만을 상천살이라 하여 많이 쓰고, 寅巳亥는 형살로 중복되며 나머지는 그 작용력이 미약하여 잘 쓰지 않는다.

QR코드 동영상 강의

왕초보사주학 18강

19강

십이운성

무엇인가?

19강. 십이운성(十二運星)이란 무엇인가?

	甲	乙	丙,戊	丁,己	庚	辛	壬	癸
寅	건록	제왕	장생	사	절	태	병	목욕
卯	제왕	건록	목욕	병	태	절	사	장생
辰	쇠	관대	관대	쇠	양	묘	묘	양
巳	병	목욕	건록	제왕	장생	사	절	태
午	사	장생	제왕	건록	목욕	병	태	절
未	묘	양	쇠	관대	관대	쇠	양	묘
申	절	태	병	목욕	건록	제왕	장생	사
酉	태	절	사	장생	제왕	건록	목욕	병
戌	양	묘	묘	양	쇠	관대	관대	쇠
亥	장생	사	절	태	병	목욕	건록	제왕
子	목욕	병	태	절	사	장생	제왕	건록
丑	관대	쇠	양	묘	묘	양	쇠	관대

十二運星法(십이운성법)이란 일명 포태법(胞胎法)이라 한다. 사주의 주체인 사람이 출생하여 무덤에 들어가서, 다시 인도 환생하기까지의 과정을 십이 단계로 나누어 표시하고 있다. 여기서는 표출법만을 하기로 하니 열심히 숙달시키기를 바란다. 묘(墓)를 고(庫), 장(藏)이라고도 하고 절(絶)을 포(胞)라고도 한다.

이 세상에 태어날 때 어머니 뱃속에 잉태(孕胎)되고 열 달 동안 자궁(子宮)에서 어머니의 양육(養育)을 받고 이 세상에 태어나서 더러운 양수를 닦아내기 위하여 목욕(沐浴)을 하고 성장하여 관례(冠禮)를 치루고 성인식을 하며, 사회에 나가 관록(官祿)을 먹고 인생의 전성(全盛)기를 누리다가 나이가 들어 기운이 점점 쇠약해지고 몸에는 병이 들고 신음(呻吟)하다 이 세상을 하직(下直)한다. 그리고 묘지(墓地) 속으로 들어가고, 기운이 완전히 끊어지고 다시 다음 세상에 남의 뱃속에 잉태되어 한 생애가 다시 시작되는 것이니 불교의 윤회(輪廻)사상과 12인연(因緣)법과 같고, 사주에서도 오행의 강하고 약한 것을 십이운성(十二運星)에 비교해 보고 인생의 길흉을 판단한다.

암기순서: 생목대관 왕쇠병사 묘절태왕

☛ 인간에 대비한 十二運星

1. 長生(장생): 모태에서 10개월 동안 성장한 태아가 이 세상에 출생함을 뜻한다.
2. 沐浴(목욕): 출생한 아기가 목욕하며, 물장난하는 것과 같다.
3. 冠帶(관대): 성장하여, 관을 쓰고, 띠를 매고 결혼하는 시기다.
4. 建祿(건록): 국가와 사회에 참여하여 국익을 도모하는 시기다.
5. 帝王(제왕): 일생 최고의 왕성한 활동을 할 수 있는 시기를 말

한다.

6. 衰(쇠): 극왕한 때가 지나, 노쇠해도 추종하는 자가 아직 있는 시기다.

7. 病(병): 노쇠하여 生氣(생기)가 파괴되니 병이 드는 것을 말한다.

8. 死(사): 병이 들면 생명력이 약화 되어 생명이 끊어지는 것을 말한다.

9. 墓(묘): 인생이 死(사)하여 장사 지내니 흙으로 돌아가는 시기다

10. 節(절): 무덤에 묻힌 후 다시 생명이 모태에 입태하기 직전에 부모 결합 시기로 絶處逢生(절처봉생)을 뜻한다.

11. 胎(태): 부모의 결합으로 모친 복중에 입태함을 나타낸다.

12. 養(양): 새 생명이 모태에서 성장하여 자라는 과정을 나타낸다.

☞ 십이운성(포태법)

@ 절(絶)-단절, 절단, 겁탈, 강탈

@ 태(胎)-잉태, 알깐다. 갇힌다.

@ 양(養)-양자, 양육, 배양, 부양

@ 생(生)- 새롭게 시작한다. 자라는 새싹이

@ 욕(浴)-도화, 연애, 애정사, 색난, 다재다능, 끼, 예쁘다.

@ 대(帶)-관복, 옷을 갈아 입는 것. 자존심 강하고 유아독존적 기질, 남의 약점을 비판하는 성질

@ 록(綠)-녹봉. 록이 병이면 병신이다.

@ 왕(旺)- 자존심 기질 강하고 권위, 위권, 두목기질

@ 쇠(衰)- 기우는 운기

@ 병(病)- 병든다, 육친이별, 사교성

@ 사(死)- 이별수, 큰 병, 죽을 고비

@ 묘(墓)-알뜰, 근검절약, 구두쇠

QR코드 동영상 강의

왕초보사주학 19강

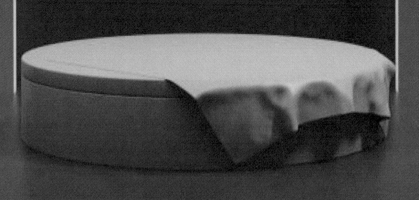

20강

신살이란
무엇인가?

20강. 신살(神殺)이란 무엇인가?

1) 십이신살(十二神殺)

神殺 年,日支	겁 살	재 살	천 살	지 살	년 살	월 살	망 신	장 성	반 안	역 마	육 해	화 개
申子辰	巳	午	未	申	酉	戌	亥	子	丑	寅	卯	辰
亥卯未	申	酉	戌	亥	子	丑	寅	卯	辰	巳	午	未
寅午戌	亥	子	丑	寅	卯	辰	巳	午	未	申	酉	戌
巳酉丑	寅	卯	辰	巳	午	未	申	酉	戌	亥	子	丑
季節	반대계절			자기앞계절			자기계절			자기뒷계절		

劫殺(겁살).災殺(재살).天殺(천살).地殺(지살).年殺(년살).月殺(월살).亡身(망신)將星(장성).攀鞍(반안).驛馬殺(역마살).六害(육해).華蓋(화개)를 12신살(十二神殺)이라 한다. 육친과 같이 응용하여 많이 활용하고 있으니 표출하는 법을 숙달시키고 작용력을 잘 기억해야 한다.

※ 앞 글자 한 자씩 암기한다.

겁재천 지년월 망장반 역육화

예를 들면 寅午戌생인 경우(기준) 寅午戌은 火局으로 자기 계절은 여름인 巳午未가 된다. 고로 자기 계절은 망장반이요, 자기 앞 계절은 지년월이요, 자기 뒷계절은 역육화이며, 자기 반대 계절은 겁재천이다. 그래서 여름인 자기 계절, 巳午未의 巳는 망신, 午는 장성, 未는 반안이고, 申酉戌은 여름의 다음 계절이니, 申은 역마, 酉는 육해, 戌은 화개가 된다. 寅卯辰은 자기의 앞 계절이니, 寅에 지살, 卯에 년살, 辰에 월살이 되고, 亥子丑은 반대 계절이니 亥에 겁살, 子에 재살, 丑에 천살에 해당하는 것이다.(이하 동법)

寅	午	戌	申	子	辰	巳	酉	丑	亥	卯	未
지살	장성	화개	지살	장성	화개	지살	장성	화개	지살	장성	화개

두 번째 표출법은 삼합을 이용하는 방법인데 다음 사항을 암기하여야 한다. 삼합의 첫 자는 지살, 중간자는 장성, 끝자는 화개이며, 삼합의 첫 자와 沖하는 자는 역마요, 중간자를 沖하는 자는 재살, 끝자를 沖 하는 자는 월살이다. 삼합 첫 자 앞자는 천살이요 첫 자 뒷 자는 년살이며, 중간자 앞 자는 망신, 중간자 뒷 자는 반안이고, 삼합 끝자의 앞자는 육해, 끝자 뒷자는 겁살이 되는 것이다.

1. 겁살(劫殺)
겁살 당한다는 흉살로 재화속출. 급질. 파재. 비명횡사. 교통사고.

강제 탄압. 강제 압류. 철거 강탈 등을 말한다.

2. 재살(災殺): 수옥살(囚獄殺)

감금. 납치. 구속. 송사 등의 재앙이 따르는 흉살이다.

3. 천살(天殺)

천살은 천재지변을 당하여 본다는 살로 하늘이 내리는 형벌을 뜻한다. 가뭄, 홍수, 지진, 태풍, 水火재난, 벼락, 전기, 열병, 정신질환, 불치병, 마비, 언어장애 등이 일어난다.

4. 지살(地殺)

지살은 돌아다닌다는 살로 변동. 이동, 변화, 여행, 이사. 이민 등의 분주함을 뜻한다.

5. 년살(年殺): 도화살. 함지살

주색에 빠져본다는 살로서 남녀 간의 이성 문제나 색난이 발생할 수 있다.

6. 월살(月殺)

고초살이라고 하며 모든 만물이 고갈되어 고통스러운 상태가 되는 흉살로 가정, 재물, 육체, 사업 등에 문제가 발생한다.

7. 망신살(亡身殺)

망신은 글자 그대로 망신 당한다는 살로 명예가 실추되;어 가정. 사업. 재물 등에 문제가 발생하며 가족간이나 주변인과 사이에 분쟁이 발생한다.

8. 장성살(將星殺)

將星(장성)은 문무겸전하여, 권위존중하는 길성으로 발전, 승진, 명예회복, 권력, 건강, 용맹, 등을 뜻한다.

9. 반안살(攀鞍殺)

말의 안장을 뜻하며 출세. 승진. 번영을 의미하는 길신이다.

10. 역마살(驛馬殺)

이동. 변동,. 분주하다는 의미이다. 유학, 해외출장. 이민, 이사 등을 나타낸다.

11. 육해살(六害殺)

여섯 가지의 해를 당한다는 흉살로 질병. 도난. 관재구설. 풍해. 수해. 화재 등의 흉액을 면하기 어렵다.

12. 화개살(華蓋殺)

華蓋(화개)는 만물을 추수해 창고에 보관하는 것과 같다. 학교, 학원, 명예, 고독, 학문, 종교, 문화, 예술, 신앙의 별이다.

2) 천을귀인(天乙貴人)

길성(吉星)으로 "나쁜 일을 소멸시키고 제어해주는 수호신"이며 사주에 천을귀인이 있으면 총명하고 지혜가 넘친다. 인간관계에서 귀인의 도움이나 조력을 얻어 어려움을 해결하는 경우가 많다.

구성 (일간기준)
甲戊庚 -> 丑未
乙己 -> 子申
丙丁 -> 亥酉
辛 -> 寅午
壬癸 -> 巳卯

3) 문창귀인(文昌貴人)

일간	甲	乙	丙	丁	戊	己	庚	辛	壬	癸
문창귀인	巳	午	申	酉	申	酉	亥	子	寅	卯

학문, 총명, 지혜, 풍류 등 공부를 잘하는 별인데 합이나 형, 충, 파, 공망은 작용을 상실한다. 이 별이 사주 나쁜 육신과 동주는 감소한다. 12운성으로 볼 때 일간이 양간 문창귀인이 病에 해당된다. 일간이 음간일 때 문창은 모두 다 長生과 동주한다.

4) 문곡. 학당귀인(文曲.學堂貴人)

일간	甲	乙	丙	丁	戊	己	庚	辛	壬	癸
문곡귀인	亥	子	寅	卯	寅	卯	巳	午	申	酉
학당귀인	亥	午	寅	寅	寅	酉	巳	子	申	卯

학문, 총명, 지혜, 풍류 등 공부하는 별로 합이 되거나 형,충,공망은 작용력을 상실한다. 학당귀인은 장생에 해당하고 문곡귀인은 양간은 장생, 음간은 병에 해당한다.

5) 천의성(天醫星: 活人星)

천의성이 있는 사람은 의학이나 의학과 관련된 직업을 많이 한다. 의사, 약사, 간호사, 재활치료, 의료기구사업, 한약재와 관련된 일을 하거나 연구하는 일을 하는 경우가 많다. 천의성은 月支의 앞에 있는 오행이다.

6) 공망(空亡)

공망은 공허하므로 내 마음속에 구멍이 난 것처럼 희망하거나 소망하는 것이 이루어지지 않음을 뜻한다. 공망은 비어 없으므로 항상 허전함을 채우려고 생각하고 있다. 육친 공망. 세운 공망. 공망 지지 위에 천간도 공망이다.

구성 (일간기준)
1순 甲子 旬中 戌亥 空亡
2순 甲戌 旬中 申酉 空亡
3순 甲申 旬中 午未 空亡
4순 甲午 旬中 辰巳 空亡
5순 甲辰 旬中 寅卯 空亡
6순 甲寅 旬中 子丑 空亡

7) 양인살(羊刃殺)

형벌 몸에 흉터, 양인은 급하고 거칠며 사납다. 극부, 극처의 살로 불세출의 괴걸 열사들이 양인살이 있는 사주에서 나오며 훈장 받는 군인도 나온다.

일간	甲	乙	丙	丁	戊	己	庚	辛	壬	癸
양인살	卯	辰	午	未	午	未	酉	戌	子	丑

8) 백호대살(白虎大殺)

사주에서 가장 무서운 살이다. 옛날에는 호랑이한테 피해를 보는 호환살(虎患殺)이라고 했다. 지금은 교통사고로 감정하는데 피를 흘리는 비명死로 불길한 살이다.

일주- 甲辰, 乙未, 丙戌, 丁丑, 戊辰, 壬戌, 癸丑

9) 괴강살(魁剛殺)

이 살은 극단적인 사고방식으로 황폭, 과강, 고집불통, 극빈, 부귀, 살생으로 또한 총명하다. 庚辰, 庚戌, 壬辰, 壬戌, 戊戌이 괴강인데 陽으로 되었다. 괴강의 특성은 일간이 강할수록 좋은 것이다.

10) 귀문관살(鬼門關殺)

귀문관살은 정신이상이나 신경쇠약. 노이로제. 히스테리. 정서불안 등에 걸리며 집착. 예술적 재능. 두뇌 회전이 빠르다. 子未와 寅酉로 바꾸면 모두 원진살이다.

사주지지	子	丑	寅	卯	辰	巳	午	未	申	酉	戌	亥
귀문관살	酉	午	未	申	亥	戌	丑	寅	卯	子	巳	辰

11) 현침살(懸針殺)

침이나 바늘처럼 뾰쪽하고 예리한 모습의 글자들이다. 甲. 卯. 午. 未. 申. 辛

말솜씨. 글솜씨가 뛰어나고 설득력이 좋다. 의료계. 종교계. 예술계. 방송에 종사하면 좋다. 주중 어디에 있어도 해당되며 일주에 있으면 작용력이 크다.

12) 원진살(元嗔殺)

서로 미워 한다는 뜻이다. (예전에는 년지를 대조하여 궁합에 많이 이용) 子-未 丑-午 寅-酉 卯-申 辰-亥 巳-戌 금슬이 좋지 않아 살다가 헤어진다고 말한다.

13) 탕화살(湯火殺)

탕화는 불이나 물에 데어 몸에 흉터가 생기거나 총탄, 파편 등으로 상하거나 음독하는 일도 있다.

일지	寅	午	丑
월지, 시지	巳申	辰午丑	午未戌

14) 고란살(孤鸞殺)

이 살은 부부간의 정이 없어 고독하며 한숨만 쉬고 불화속에 이별 사별이 따른다.(여자일주만 해당) 甲寅. 乙巳. 丁巳. 戊申. 辛亥

15) 홍염살(紅艶殺)

인기 살로 일간을 기준으로 각 지지를 본다. 홍염살의 성격도 도화 같은 호색, 작첩, 정부, 연예인, 예능이 소질이 있다. 사주에 있으면 부부운은 순탄하지 못하다.

일간	甲乙	丙	丁	戊己	庚	辛	壬癸
홍염살	午	寅	未	辰	戌	酉	申

16) 곡각살(曲脚殺)

수족 절단이나 수술에 관련된 살이다. 乙巳. 乙丑, 己巳, 己丑

몸을 잘 다치며 사고나 질병에 노출되어 있다. 신경통이나 수족의 상해를 당하기 쉽다. 인간을 구제하는 활인업에 종사하면 좋다. 주 중 어디에 있거나 일주에 있으면 작용력이 크다.

17) 급각살(急脚殺)

다리가 부자연스럽다는 것으로 신경통이나 다리를 저는 일이 있으 며 급각살에 해당되는 육신에 따라 판독한다.

월지	寅卯辰	巳午未	申酉戌	亥子丑
급각살	亥子	卯未	寅戌	辰丑

18) 고신과숙살(孤神寡宿殺)

상부상처살이라고 한다. 년지를 기준하여 본다. 남자는 고신살, 여 자는 과숙살이 사주에 있으면 부부운이 평탄할리 만무하다. 이별사 별을 면하기 어렵다.

년지	亥子丑	寅卯辰	巳午未	申酉戌
고신살	寅	巳	申	亥
과숙살	戌	丑	辰	未

19) 상문(喪門),조객살(弔客殺)

일이 잘 되어 가다가도 뜻밖의 장애가 생겨 실패하는 경향이 있다. 몸에 질병이 따른다. 상문은 상을 당한다. 조객은 조문을 받는다. 집안 식구가 상을 당하든지 병을 앓든지 하는 수가 있다. 대운, 세운 상문은 그 육신에 흉한 일이 생길 수 있다.

年,日支	子	丑	寅	卯	辰	巳	午	未	申	酉	戌	亥
喪門	戌	亥	子	丑	寅	卯	辰	巳	午	未	申	酉
弔客	寅	卯	辰	巳	午	未	申	酉	戌	亥	子	丑

20) 천라지망살(天羅地網殺)

천문성이라고도 하며 戌, 亥가 같이 있을 때 적용한다. 하늘을 드나드는 것이라 하여 정신적인 면이 뛰어나다. 도 닦는 능력, 신앙, 역학, 무당, 의사, 수련 등을 의미하는데 종교 방면에 인연이 있다. 지망이란 땅에 그물이 쳐져있다는 뜻으로 앞길에 장애가 있고 애로사항이 발생한다. 辰, 巳가 있을 때이며 특히 둘이 나란히 붙어 있으면 영향이 더 큰데, 일시, 일월, 년월 순으로 강하게 작용한다.

21) 삼재(三災)

삼재란 천재(天災). 지재(地災). 인재(人災)의 세 가지 재앙을 말한다. 누구나 12년마다 1년~3년간 삼재가 들게 된다. 이때 기준은 생년지 즉, 띠를 기준으로 한다. 삼재가 시작되는 첫해를 들삼재 (入三災)라 하고, 둘째 해를 묵은삼재(伏三災)라 하며, 마지막 셋째 해를 날삼재(出三災)라 한다.

亥卯未(띠) -> 巳午未(年)
寅午戌(띠) -> 申酉戌(年)
巳酉丑(띠) -> 亥子丑(年)
申子辰(띠) -> 寅卯辰(年)

天災: 하늘로부터 받는 재앙으로 폭설. 가뭄. 번개 등의 재앙을 말한다.

地災: 땅으로부터 받는 재앙으로 지진. 화재. 풍재 등의 재앙을 말한다.

人災: 인간으로부터 받는 재앙으로 질병. 손해. 죽음. 이혼. 망신 등의 재앙을 말한다.

QR코드 동영상 강의

왕초보사주학 20강

[왕초보 사주 공부 마무리!!!!]

왕초보 사주명리학 20강을 끝내고 간명지(사주팔자 뽑는) 연습 노트를 만들어 만세력을 보고 사주와 대운. 세운. 월운을 작성하고 십신. 지장간. 십이운성. 십이신살을 기입하고 천간지지 합충. 형, 파. 삼합, 방합. 신살 등을 파악한다.

그리고 음양과 오행. 십신의 태과 불급을 참고한다. 사주명식 작성 연습이 완전히 숙달할 때까지 반복해야 한다. 이 과정을 거치지 않고 사주 해석(초급~고급)을 먼저 해서는 절대 안 된다. 왕초보 사주 공부는 기본 이론을 암기하여 사주 구조 파악하는 데만 초점을 두어야 한다.

간명지를 보고 한눈에 사주 8글자가 보여야 한다. 처음에는 월지와 일주 세 글자 오행만 보이지만 나중에는 8글자가 한눈에 들어오고 하루가 지나도 이 사주명식이 또렷하게 떠오른다. 그다음 대운 2글자와 년운 2글자. 월운 2글자 6자를 포함하여 총 14자 오행이 내 머릿속에서 뱅뱅 돌아가야 한다.

수고하셨습니다.

사주명리학 첫걸음 20강 -끝-

여명미래역학서